知的生きかた文庫

できる人だけが知っている「超」インプット術

間川　清

三笠書房

◉はじめに

できる人というのは、例外なく「インプット」がすごい。

みな、「インプットの鬼」だ。

彼らは、忙しい中でも、けっしてインプットを怠《おこた》らない。あらゆることにアンテナを張り、さまざまな仕組みやテクニックを駆使して有益な情報、知識を集め、それらを効率的に、自分の血肉となるまでインプットしているのだ。

私たちがインプットしなければいけない、もしくはインプットしたいと思う情報や知識は、日に日に増えている。ＩＴ技術の発展を考えれば、今後、その量はさらに増え続ける。

無限に、といっていい。

しかし、私たちに与えられた1日24時間というのは変わらない。

インプットにかけられる労力にも限りがある。

ではどうすればいいのか。

短時間かつ少ない労力でより多くのインプットが可能なスキルを磨いていくしかない。

もちろん、成果というのは、最終的には「アウトプット」で決まる。なぜなら、どんな情報や知識も、それ自体に価値はないからだ。手に入れた情報や知識を活かしてアウトプットを行ない、成果につなげてはじめて価値が生まれる。

だから、最近、ビジネスの世界では、

「アウトプットこそ大事だ」

「もっとアウトプットせよ」

と、さかんにいわれている。

しかし、**インプットなくしてアウトプットはない**のだ。

私も、これまで弁護士として、また、弁護士事務所の経営者としての業務を行ないながら、著作を10冊以上執筆し、テレビやラジオといったメディアに出演するほか、講演やセミナーの講師を務めるなど、さまざまなアウトプットを行ない、成果につなげてきた。

それらのアウトプットの前提となるのは、**「大量のインプット」**だ。**大量のアウトプットをするためには、それをはるかに上回る量のインプットが必要になる。**

たとえば、弁護士として裁判に臨むにあたっては、膨大な量の裁判記録を読み込む必要がある。それにかかる時間と労力は、実際に法廷で裁判を行なう時間と労力をはるかに上回る。

このとき裁判記録の文章を頭から順番にすべて読んでいくような方法では、とてもではないが間に合わない。

そのような必要性から、私はこれまで「どうすれば限られた時間でより多くの、より有益な情報や知識をインプットすることができるのか」を考え続け、学び続け、試行錯誤してきた。

その集大成が本書の内容である。

その内容を章ごとに簡単に説明しよう。

第1章は、本書で紹介する、**限られた時間で大量かつ有益な情報や知識を手に入れる「超」インプット術の総論的な内容**になっている。

「そもそもなぜ効率的なインプットが必要なのか」にはじまり、「効率的なインプット術を身につけるメリット」や「無駄なインプットを徹底的に排除する方法」などを紹介する。

第2章は、**「超」インプット術の実践編**だ。三つのテーマに分かれている。

一つ目のテーマは、**「読書」**だ。

ビジネスパーソンにとって、必要な情報や知識、スキルをインプットする方法として読書ほど効果的なものはない。

しかし、世の中に本はあふれるほど存在しており、漫然と読んでいたのでは時間ばかり浪費し、読書の効果を最大化することはできない。

私は、読書術に関する本を執筆しているほど本が好きで、本から大量の有益な情報や知識、スキルを得ることで大きな成果を出してきた。その経験も踏まえて、読書における効率的かつ効果的なインプット術をお伝えしたい。


二つ目のテーマは**「仕事」**だ。

弁護士の仕事はそのイメージの通り多忙を極める。膨大な裁判資料や証拠を精査した上で、膨大な量の判例から目の前の事件に有利な判例を見つけ出し、法廷での緻密な駆け引きをするための作戦を練り込む。

これに加えて自らが経営する法律事務所の代表として、営業から人事まであらゆる業務をこなし経営判断をしなければいけない。

そんな多忙な毎日の中でも、私は本を執筆したり、テレビやラジオに出演したりするなどの仕事もこなしてきた。

それができたのは、やはり本書で紹介する「超」インプット術を実践しているからにほかならない。


三つ目のテーマは**「勉強」**だ。

ここでは、私が司法試験の受験中に実践していた勉強法、記憶術を中心としたインプット術を紹介している。

私が受験していたころの司法試験は、合格率が約3％の「日本一難しい試験」などといわれていた。

実際に、覚えなければならない法律知識は膨大で、受験生の中には「ベテラン」と呼ばれる、10年以上試験に合格できない人も多くいた。

私は2回という少ない受験回数で合格できたが、それは受験勉強中に試行錯誤して体得したインプット術があったからだ。

もし、あなたが何かの資格試験に挑戦したり、新しい分野の勉強をしたりしなければいけない状況にあるのなら、本書のノウハウは必ず役に立つ。

第3章では、**「アウトプット」**について書いている。

先にも述べたように、インプットというのは、アウトプットにつながらなければ意味がない。インプットした知識や情報、スキルを仕事や人生に活かし、成果につなげてはじめて意味があるし、価値があるのだ。

この章では、「インプットとアウトプットはどのような関係にあるのか」「どうすればインプットした情報や知識、スキルを効果的に活かす（アウトプットする）ことができるのか」について紹介する。

本書の「超」インプット術が、あなたの仕事、人生をもっと輝かせるヒントとなることを願っている。

間川　清

目次

第1章 まず、あなたの無駄なインプットを徹底的に洗い出せ

第2章 限られた時間で圧倒的な知識を得るインプットの技術

Reading 読書編

本を速く、的確に、大量に読む方法

Work
仕事編

なぜあの人に、人もチャンスもお金も集まるのか

Study
勉強編

情報・知識を自分の血肉とするテクニック

第3章 そして、最高のアウトプットへどうつなげていくか

編集協力／樺木 宏
本文DTP／株式会社Sun Fuerza

第1章

まず、あなたの無駄なインプットを徹底的に洗い出せ

INPUT 01

無駄なインプットは人生さえも狂わせる

インプットについて考えるとき、私はいつも司法試験における「ベテラン」受験生のことを考えてしまう。

「ベテラン」受験生というのは、司法試験の受験回数の多い受験生のことをいう。いわゆる司法試験浪人という立場で、年に一度の司法試験を10回、20回受けても合格できない受験生だ。

受験生仲間で雑談などをするときに、「あの人はベテランだから……」などということがある。いつまでたっても合格できない人たちを揶揄《やゆ》する意味で使われており、あまりいい言葉ではない。

一方、司法試験に必要な知識を効率よく身につけて、数回の受験ですんなりと合格していく「若手」もいる。

なぜ、同じ司法試験受験生でも、すんなりと合格していく若手と、10年以上も合格できないベテランに分かれてしまうのか。その要因はさまざまあるが、最大の理由は、

「間違ったインプットをしているから」

そのことに尽きる。

ベテラン受験生たちは、司法試験の勉強に必要とされていない、無駄で膨大な知識ばかりを必死に頭に入れているのだ。

司法試験は、日本一難しい試験といわれているとおり、試験で問われる知識の量はかなり多い。

しかし、それでも問われる内容や知識の量には限度がある。必要とされる知識は、過去の試験問題や予備校などを利用すれば、どこまでかというのがわかる。

法律に関する知識というのは日々ものすごい勢いで増えており、その知識をすべて身につけるのは不可能である。大学の先生でさえ難しい。法律家のたまごにすぎない司法試験受験生にはなおさらだ。

したがって、司法試験も受験生がそこまで最新の細かな知識を身につけることを求めてはいないのだ。

しかし、「ベテラン受験生」たちは、そのことをまったく理解していない。日々増え

続ける細かな知識ばかりを大量にインプットして、司法試験に本当に必要な知識をインプットしていないのだ。

インプットした知識や情報をどう〝血肉化〟するか

私が受験生だったあるとき、食堂で昼食をとっていると、となりの席にベテランと呼ばれる受験生三人組が座った。

その三人は食事の席につくと、法律の話をはじめた。私はとくにそれを聞こうとしたわけではないが、どうしても耳に入ってくる。三人が話している内容は、受験生がほとんど知らないような最新判例についてであった。

たとえば、最新判例の事実関係の内容はこうで、それに対して○○大学の○○教授はこのような説を主張している――といった、司法試験では絶対に問われないような知識ばかりを、それは楽しそうに話していた。

このようなインプットは、無駄で意味のないインプットの典型だ。仲間内での雑談を楽しくするためには意味のあるインプットかもしれない。だが、試験に受かるためには無駄でしかない。

「超」インプットとは？

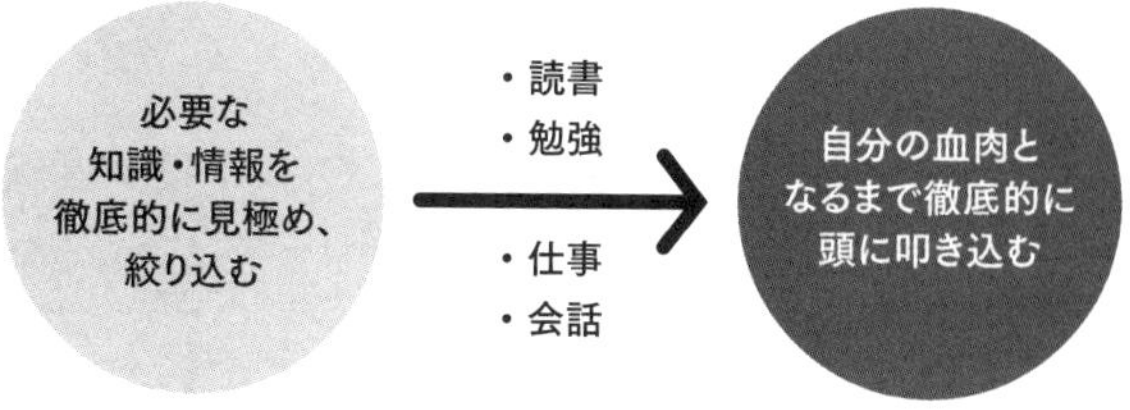
必要な
知識・情報を
徹底的に見極め、
絞り込む
・読書
・勉強
・仕事
・会話
自分の血肉と
なるまで徹底的に
頭に叩き込む

このベテラン受験生たちのように、意味のない、価値のないインプットをし続ける人は少なくない。

無駄なインプットは、貴重な時間を浪費するだけで、なんのメリットももたらさず、人生さえ狂わせかねない。

実際、ベテラン受験生たちは、20代、30代という人生の黄金期ともいうべき時期を無為に過ごしてしまっているのだから。

本書でいう「超インプット」とは、ただやみくもに無駄な知識や情報を頭に詰め込むことではない。

必要な知識や情報を徹底的に見極め、絞り込み、その上でさまざまなテクニックを使って効率的、効果的にインプットし、自分の血肉とするスキルである。

このことを常に頭に置いて、これから本書を読み進めてほしい。

INPUT 02

読書、仕事、勉強……大量にインプットする私の方法

これから、前項で述べた「ベテラン受験生」のような間違ったインプットをやめて、より効率的、効果的にインプットしていく方法を紹介していくが、まず、

「私がこれまで具体的にどのようなインプットをしてきたのか」
「そして日々どのようなインプットをしているのか」

ということについて言及したい。

一見すると、私の自慢話に感じられるかもしれないが、けっしてそうではない。あくまでこれから紹介するインプット術を身につけた場合、結果がどのようになるかをイメージしてもらうために書く。

なぜなら、どんなにすごそうなノウハウを紹介したとしても、結果が伴っていなければ、その価値を感じてもらえないと思うからだ。

①「読書」について

読書からのインプット量を増やしたい、と考えて本書を手に取ってくださった人は多いかと思う。

読書について、**私は、月に平均すると25冊以上は読んでいる。**

自分としては1日1冊、月に30冊程度を目指しているのだが、どうしてもじっくりと読みたい本があったりするので、平均すると月に25冊である。もちろん、これは平均なので、ときには30冊を超えることもある。

平成30年度に文化庁が行なった日本人の読書量の調査によると、月に1冊も本を読まない人が47・3％、1、2冊の人が37・6％となっており、7冊以上読む人は3・2％となっている。

この調査結果からすると、月に25冊という読書量はかなり多いといえるだろう。

この25冊というのは、単行本あるいは文庫本のビジネス書がほとんどで、それ以外にも私は、**年に500冊以上の雑誌も読んでいる。**ビジネス雑誌を2誌、定期購読し、しっかりと読み込んでいるほか、「dマガジン」という雑誌の読み放題サービスで月に40誌以上を読んでいる。

詳しくは後述するが、あえて自分があまり興味を持てない雑誌も読む「ランダム・インプット」によって、ビジネスや私生活においても多くのメリットを得ることができている。

②「仕事」について

仕事の面では、**私は最盛期には弁護士として200件以上の案件を抱えて、それらを同時に処理していた。**

もちろん、事務職員からのサポートなどを受けながら進めていたが、関係する書類などは膨大な量があった。

裁判案件などでは、ときに事件に関連する記録がダンボール2箱分におよぶような事件もあり、それらの膨大な記録をわずか数時間でインプットし、訴訟などに臨むこともあった。

また、積み重ねると50㎝以上の高さになる証拠書類の中から、自分のクライアントにとって有利になるたった1行の文章を探し出すようなこともあった。

私は、裁判員裁判がはじまったころ、全国で二番目に行なわれた裁判員裁判を担当したことがある。日本全国の報道陣が注目するプレッシャーの中、数時間分にもおよぶ膨大な量の証人尋問データをひと晩で解読し、弁護する被告人に有利な証言を集めることもした。

これらの仕事上のインプットは、いずれもその量が膨大なもので、これから紹介する効率的、効果的な「超」インプットのスキルを身につけていなければ到底、処理をすることはできなかっただろう。

③「勉強」について

司法試験を受けた際、私は通常2年間かけて勉強する予備校の受験カリキュラムを1年間ですべてインプットした。

たとえば、授業の動画や音声を2倍速で聞いたり、後述する記憶術などを駆使したりして「倍速」で司法試験受験に必要な知識をインプットしていったのだ。

司法試験では、記述式の論文試験が難関とされている。その試験の対策として、合計約1000問以上の論文試験の答案をすべてチェックして、すべての問題に対する模範答案を再現できる状態にしていた。論文試験の回答は、A4用紙4枚ほどの分量なので、そのインプット量の多さがご理解いただけると思う。

ほかにも、103条にもおよぶ憲法の条文を一言一句、正確に記憶したり、大きいサイズの単語帳20冊以上の法律用語集を丸暗記したりするなど、インプットして記憶した量はかなりのボリュームである。

司法試験で暗記した内容は、約15年経過した現在でもしっかり記憶にとどめられており、再現できる状態だ。

このようなインプットのほかにも、**私は1日平均して2時間以上、動画を視聴したり、音声データを聞いたりといったインプットもしている。**それは仕事のためのときもあるが、単純に娯楽として見ていることもある。

私がこれらの大量の知識や情報を効率的、効果的にインプットできるのは、本書で紹介するスキルを身につけたからにほかならない。

本書の「超」インプット術を身につければ、あなたも現在とは比較できないほど大量かつ有益なインプットが可能になるだろう。

INPUT 03

「超」インプット術で、あなたの仕事はこう変わる

本書で提案する「超」インプット術を身につけるメリットは五つある。

①短時間で大量のインプットが可能になる

現代のビジネスパーソンはとにかく多忙である。それは世の中に情報があふれているからだ。IT技術の発達により、情報量は爆発的に増え続けている。

しかし、一人の人間に与えられている時間は太古の昔からまったく増えていない。1日24時間のままだ。

そして、今後も増えることはない。

だから**大量の情報を、短期間で効率よく、かつ穴なくインプットする**ことが大切になる。本書のインプット術を身につけることができれば、それが可能になる。

②インプットした内容を忘れなくなる

大量の情報を効率よくインプットしたとしても、頭に残らなければ意味がない。記憶にとどめることで、はじめてそのインプットした情報をアウトプットにつなげることができるのだ。

詳しくは後述するが、「超」インプット術では、大量の情報に接しても、まんべんなくそれらの情報を頭に入れるのではなく、何がポイントとなる情報なのか、どの部分が自分にとって価値があるのかを押さえ、**インプットする内容を徹底的に絞り込んでいく**のだ。その上で、しっかりと頭に残るように記憶していく。

③生産性が向上する

日本生産性本部の発表によれば、日本は労働生産性が非常に低く、先進七カ国中で最下位にランキングされているとのことだ。

その生産性の低さゆえに、職場では長時間労働や多くの残業が発生していることは、ビジネスパーソンであれば誰もが実感していることだろう。

労働生産性の低さや、長時間労働の原因にはさまざまなものがあるが、間違ったイン

「超」インプット術を身につける、5つのメリット

① 短時間で大量のインプットが可能になる
② インプットした内容を忘れなくなる
③ 生産性が向上する
④ 質の高いアウトプットができるようになる
⑤ 自分の頭で考えられるようになる

プットのやり方がその原因の一つであることは間違いない。

たとえば、大量の書類を時間をかけてすべて読む、などだ。

効率のいいインプットができれば、それらの時間を大幅に短縮できる。

そうすると、それらにかかっていた時間を単純に減らすことができる。

また、**頭を使って行なうべき重要な業務に時間を投下することができる**だろう。それが生産性の向上につながっていくのだ。

④質の高いアウトプットができるようになる

アウトプットの質は何で決まるか。

それは、インプットの質にほかならない。

どんなに質の高いアウトプット技術を持っていた

としても、その中身にあたるインプットの質が高くなければ意味がない。

本書のインプット術を身につければ、質の高いインプットが可能になる。結果としてアウトプットの質も向上する。

すでに述べたとおり、本書のインプット術では、大量の情報を効率よく処理し、重要な情報だけを的確に選び取ることができる。

たとえていえば、「フィルター」のようなもので、**インプットされる情報は質の高い価値ある情報だけに限られてくる**のだ。

処理する情報が大量であればあるほど、濾《こ》し取られる価値ある情報も多くなる。そうしてインプットの質が高くなり、アウトプットの質も高くなる。

⑤自分の頭で考えられるようになる

大量の情報があふれ、選択肢が増え、価値観が多様化した今日において、ビジネスパーソンに求められるのは、「物事を自分の頭で考えられる力」だ。

正解のある問題の答えは、インターネットを使えばすぐに手に入れられる。

インターネットのない時代には、正解のある問題の答えを知っているだけで価値があったが、いまはそれだけでは価値がない。

正解のない問題に対して、自分なりの価値（答え）を考え出せる――そういう人材が求められているのだ。

本書のインプット術を身につければ、効率よく情報を処理することができる。結果として、現代で求められている「自分の頭で考える」という作業に集中して取り組むことができるようになる。

限られた脳のリソースを上手に振り分けることができるのだ。

INPUT 04

なぜ、無駄な情報を〝暴飲暴食〟してしまうのか？

本書の「超」インプット術を紹介する前提として、いっておきたいことがある。

そもそも**「なぜ無駄のないインプットが必要なのか」**ということだ。

一言でいえばそれは、

「世の中にあふれている情報量が圧倒的に多い」

からだ。無限に近いといっていい。

これは情報の記憶媒体に変化があったからこそ生じた問題である。

ひと昔前は、主な情報の記憶媒体は紙であった。紙は物理的な存在であるから、個人が保有する量には限界がある。大量の紙を保存するには紙代や保管場所など、多くのコストがかかった。

しかし、現代の情報記憶媒体はデータだ。データは、物質としての質量がない。個人であっても無限に近い量の情報を保存することができる。無料で使えるクラウドストレージなどのサービスが多くあり、コストもほとんどかからない。

たとえば、写真の保存。

ひと昔前は、写真はカメラで撮影したらそれを現像して紙の写真としてアルバムなどに保存していた。

それが現代ではクラウドサービスを利用したり、ハードディスクにデータをそのままの形で保存したりしている。

するとどうなるかというと、もはや管理したり整理したりすることが不可能になるほどの写真画像データが爆発的に増える。これは経験している人も多いだろう。

とある大学の研究によると、**現在、全世界で1年間に生み出される情報の量は、15世紀のそれと比べると約3億倍にもなる**そうだ。

ビジネスパーソンであれば、インプットすべき情報が年々、加速度的に増えていることは実感できるだろう。

メール、SNS、文書データ……すべてがデジタル化されているがゆえに大量につくられ、大量に送りつけられてくる。それらの情報をすべて同じようにインプットしていては、時間がいくらあっても足りない。

仕事が速い人の「脳」、遅い人の「脳」

このように、情報が無限であるのに対し、個人のキャパシティは常に有限だ。

個人の脳としての記憶能力、インプットにかけられる時間、一定の時間内で読める文字の量……人のリソースは常に有限なのである。

これは当たり前のことだが、その当たり前のことをきちんと理解していない人はたくさんいる。

とくに、インプットにかけられる時間が有限であるということをきちんと理解していない人は非常に多い。

そういった人たちは、たとえば、読もうとする本が山積みになるだけの〝積ん読〟や、いつまでたっても仕事が終わらない長時間労働などから抜け出せない。

そうなってしまう理由の一つに人間の脳の特質がある。

人の脳には、「未来の時間を多く見積もる」という特質があるのだ。

たとえば、仕事の締め切りを例に挙げよう。

3日後が締め切りの仕事を依頼されたとする。その場合、現状の忙しさから考えて、その締め切りを守れないとなれば、締め切りの変更、あるいはその仕事を断ることができる。

しかし、3カ月後が締め切りの場合には、「現状は忙しくても、3カ月後ならなんとかなるだろう」と楽観視し、二つ返事で仕事を引き受けてしまう。そして3カ月後も結局、いまと同じくらい忙しくて、締め切りを守れなかったりする。

人の脳に、このような未来時間に関する認識の錯誤が発生することは、心理学の研究によって明らかになっている。

これをインプットに引きつけて考えてみると、たとえば、いつかこの本を読もう、あとで調べようと思っても、その「いつか」や「あとで」は永遠に来ない、ということだ。

とにかく、**自分が情報のインプットにかけられる時間には限りがある。インプットできる情報量には限度がある。**その「事実」をしっかりと認識し、肝に銘じる。

それが無駄のないインプットをするための基本的な心がまえである。

INPUT 05

仕事ができる人の知識には「穴」がない

ここまで、インプットにおいては徹底的に無駄をなくす必要があるということを述べてきたが、もう一つインプットにおいて大切な考え方がある。

それは、

「穴のないインプットを目指す」

ということだ。

「穴のない」インプットとは何か。**「ほとんどの人が身につけているような基本知識については、きちんとインプットしておかなければならない」**ということである。

それは、無駄を省こうとするあまり、必要な基本知識まで抜け落ちるようなことがあってはいけないということだ。

基本的な知識まで抜け落ちてしまっては、致命的な失敗をしてしまう。最低限必要とされる知識に「穴」があると、さまざまな状況において修復不可能な失敗をしてしまう危険性があるのだ。

これは、資格試験などで考えるとわかりやすいだろう。

1点や2点の得点の差が合否を分ける資格試験においては、受験生のほとんどが解けるような問題について、知識の穴があるために解けないとなると、合格するのは極めて難しくなる。

ほとんどの受験生が解けるような問題を取りこぼすことなく、その上で少し難しい問題を解ける人が合格するのだ。

司法試験もそのような傾向が強かった。

司法試験では、短答式試験というマークシート方式の試験のあと、論文試験が行なわれる。

この論文試験が多くの受験生にとって難関となるのだが、その試験は一つの法律分野から2問しか出題されない。

たとえば、民法は条文の数が1000を超えるほどボリュームのある法律だが、そこから論文試験で問われるのはたった2問だけなのだ。

その民法の特殊なある論点について学者レベルの知識があったとしても、基本的な論点について知識に穴があると、合格するのは極めて難しい。

先述した、司法試験の「ベテラン受験生」たちには、このような知識の穴ぼこだらけで、試験に合格できない人がたくさんいた。

彼ら、彼女らは自分が得意な分野や、好きな論点ばかりの知識を深追いしていたため、知識の穴だらけになり、そこを試験で問われて不合格——というパターンだ。

いまはわからないが、私が受験生だったときの司法試験の論文試験は、ほかの科目の論文試験が最高の評価を受けても、一つの問題で最低の評価を受けてしまうと、それだけで不合格になるという採点方法が取られていた。

まさにたった一つの知識の穴が致命傷になっていたのだ。

知識の「穴」がなぜ恐ろしいのか？

「穴のないインプット」を意識すべきは、勉強や試験という場面だけにとどまらない。**ビジネスの場面においても、基本知識の穴をなくすという意識でインプットすることは重要だ。**

たとえば、重要なプレゼンテーションの際に、取引先企業の担当者から、知っていて

基本知識の「穴」をなくすには——

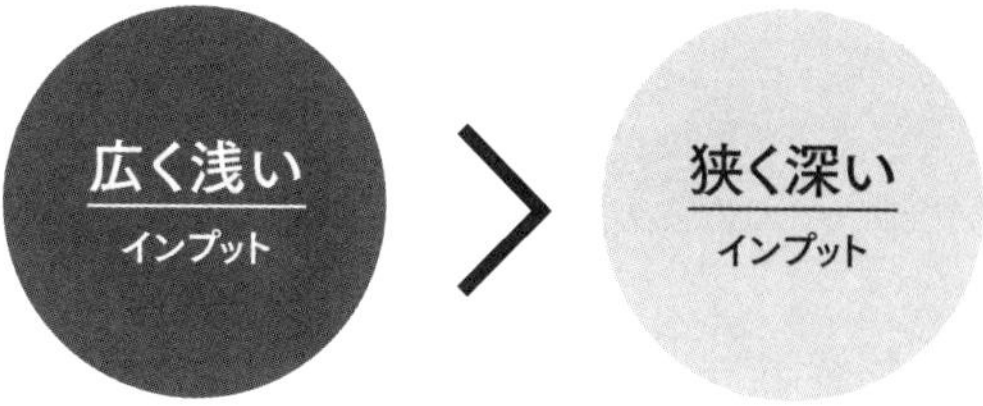

当然の知識を問われたにもかかわらず、知識に完全な穴があって答えられなかった場合、それだけで不信感を持たれ、商談が破談になる危険性がある。

基本知識の「穴」がなぜ恐ろしいのか？　その失敗をフォローしたり、挽回したりするのが難しいからだ。

知識が「薄かった」としても、「穴」になっていなければ、あとで調べたり、自分の知っている範囲内で想像を働かせたりすることによって、なんとかその場を切り抜けることが可能だ。

しかし、「穴」になってしまっていると、それすらできない。自分がそれを知らないということさえ知ることができないのだ。

弁護士業務をしていても、それを痛感することがある。たとえば、裁判。裁判官をまじえて話を進めていると、裁判官が弁護士に向かって「こういう主張や証拠を提出すればそちらに有利になるのでは」とか「こういった法律論を主張しないとそちらに不利になりますよ」というようなヒントを暗に示してくれることがある。

露骨にやると裁判が不公平になる。だからさりげなくするわけだ。

しかし、知識に穴があるとそういった裁判官の出すヒントに気がつくことができないのだ。すると、無情にも自分にとって不利な判決が出てしまうことになる。これは致命的である。

そんなとき、たとえ知識があやふやでも「穴」とまでなっていなければ、それになんとか気がついて、あとから文献や判例を調査することによってフォローできる。

基本知識について「穴」をなくすという意識。

これは、インプット力を高める上でとても重要なポイントなのだ。

INPUT 06

その分野の「コア知識」を徹底的に押さえる

無駄なインプットを繰り返してしまう人。

そういう人たちは、もしかすると、少ないインプットに不安を感じるのかもしれない。とにかくたくさんのインプットをしなければ、時代に乗り遅れるのではないか、自分が損をしてしまうのではないか、問題が起きたときに解決できないのではないか……といった不安だ。

結論からいうと、そのような不安を持つ必要はない。

なぜなら、**「質の高い最小限のインプットさえあれば、世の中の多くの問題を解決できる」**からだ。

というのも、どんな分野の、どんな問題を解決するにしても、本当に必要な、

「コア知識＋自分の考え」

で応用すれば、ほとんどの問題は解決できる。

わかりやすいイメージとして例を挙げると、小学生の算数のようなものだ。

私には小学生の子どもがいるため、その宿題を見ていたときに思いついたのだが、算数の問題は、コアとなる知識さえ覚えていれば、それを前提に頭を使って問題が解けるようにできている。

たとえば、「1デシリットル＝100ミリリットル」という知識。

デシリットルという日常生活で使わない単位になつかしさを感じる人がいるかもしれないが、この知識があれば、はじめて出される問題も考えることで解くことができる。

例を挙げると、900ミリリットルは何デシリットルですか？　とか、5デシリットルは何ミリリットルですか？　という問題は、その答えをいちいち記憶していなくても、1デシリットル＝100ミリリットルというコア知識があれば正解できる。

無駄のあるインプットというのは、ここで問題の答えを一つひとつ記憶するようなインプットのことをいう。

たとえば、「900ミリリットルは9デシリットル」「5デシリットルは500ミリリットル」などと、いちいち記憶していたら、どれだけ脳の記憶容量があっても足りないし、インプットの時間も足りない。

質の高いインプットとは？

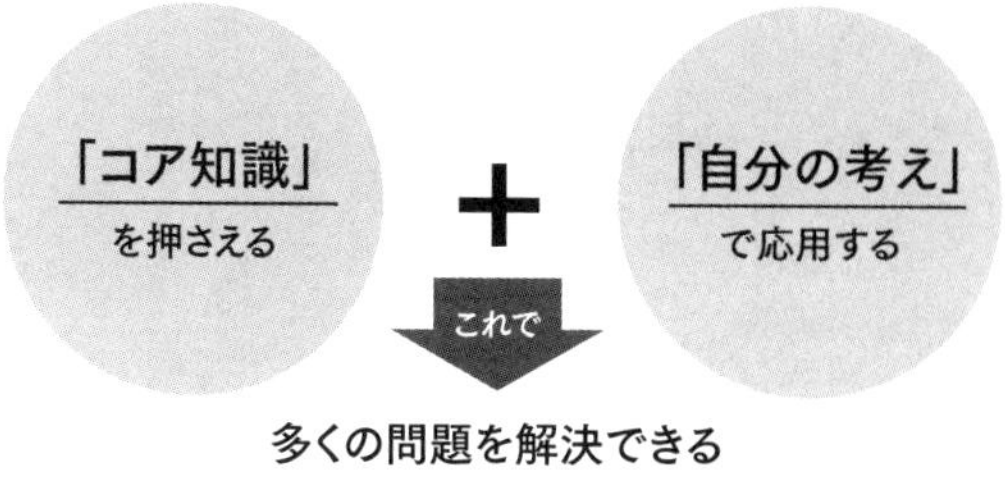
「コア知識」
を押さえる
＋
「自分の考え」
で応用する
これで
多くの問題を解決できる

これは、逆にいうと、**「コアとなる知識については必ずインプットしなければいけない」**ということだ。

なぜなら、コアとなる知識は、考えてわかるものではないからだ。

何も知らない小学生に1デシリットルは何ミリリットルか考えなさい、という問題を出しても答えられない。それは考えて解ける問題ではないからだ。

このように、知識それ自体というものは、問題解決に対する応用能力は低いが、「知識＋思考」の応用範囲は広いのだ。

したがって、やるべきことは、

①「コアとなる知識」を見定めてインプットする

②その知識をもとに「考える力」を養う

ということになるのだ。

こんな“応用がきく”知識が武器になる

司法試験においても、このことをきちんとわかっているかわかっていないかが、合否の決め手となっている。

このことがわかっていない人は、すべての答えを知識としてインプットしようと考え、細かい知識や判例をひたすら丸暗記しようとするのだ。

しかし、単純に知識の量で合否が決まるのであれば、勉強をはじめて2、3年の若手受験生がすんなりと司法試験に合格するのに対し、10年から20年も勉強して膨大な知識を身につけている「ベテラン受験生」が不合格となる理由の説明がつかない。

若手の合格者は、司法試験で必要となる知識、コアな知識がなんであるかをしっかりと見極め、それを確実に身につけた上で、思考して問題を解く、という訓練をして合格していくのである。

これはビジネスでも同じだ。

ビジネスで必要とされるスキルにはたくさんの種類がある。交渉術、プレゼン術、コミュニケーション術、マーケティング術などなど、それぞれの分野ごとにたくさんのテクニックがある。

しかし、それを逐一インプットするのは無駄が多い。それらのテクニックには、コアとなる知識があるはずで、それをインプットした上で各場面に応じて考え、応用していけばいい。

たとえば、「返報性の法則」というコアとなる知識がある。これは、人は相手から何か恩恵を受けるとそのお返しをしなければならないという心理状態になる、という法則だ。

これを交渉術に応用すると、たとえばこちらから損失の少ない譲歩を相手に提供し、その見返りとして有利な条件を引き出す、という戦略が考えられる。

また、マーケティングに応用すると、最初に無料で商品をプレゼントし、あとから購入を促す、という戦略が思いつく。

それぞれ、交渉術やマーケティング戦略の知識としてよく知られているものだが、それらの理論を知らなくても、**「返報性の法則」というコアな知識、情報さえインプットできていれば、あとは考えれば同じ戦略を導くことができる**のだ。

こういう知識、情報をインプットできれば、最小限の知識で多くの問題を解決することが可能になる。

INPUT 07

「べき」「惰性」「見栄」のインプットはすべて無駄

無駄なインプットの代表例を挙げよう。

それは、**「べき」「惰性」「見栄」によるインプット**だ。それぞれについて説明する。

①「べき」でしているインプット

これは「自分の現在の立場からすると一般的にすべきであろう」というだけの理由でしているインプットであり、その典型的な例として、新聞の購読が挙げられる。

「社会人であるならば毎日、新聞を読むべきである」という、一般論的な固定観念から新聞の購読を続けている人がいる。

新聞は、文字数でいうと新書2冊分ほどの分量がある。毎日きちんと新聞を読み込んでいる人は少ないだろうが、斜め読みするだけでもかなりの時間を必要とする。

明確な理由を持って新聞を読むのであれば、必要なインプットであり、まったく問題はない。

しかし、社会人なら読む「べき」という理由だけであれば、それは読むべき本当の理由を考えていない思考停止のインプットであり、無駄なインプットにほかならない。

私も弁護士になりたてのころは、法律家ならこの法律雑誌を毎号読むべき、と先輩弁護士からいわれ、なぜ読んだほうがいいのかも考えず、「べき」という思い込みだけで読んでいた。雑誌といえども専門的な法律雑誌なのできちんと読むと時間が取られる。

あるとき、自分が何も考えず、「べき」という固定観念だけで膨大な時間を費やしてその雑誌を読んでいることに疑問を抱いた。

そして、**本当にその雑誌を読み込むことが必要なのか？　ほかに手段はないのか――？**

そう考えて、目次のチェックだけにとどめて詳しく読むのをやめた。

それでも業務にはなんの支障もなく、かえって仕事に集中できる時間が増え、効率が上がった。

②「惰性」でしているインプット

これは、朝や夜に見るニュース番組などが典型的な例として挙げられる。

実家で毎朝親がこのニュース番組をつけていたので、独立したいまも朝はこのニュース番組を見ている、なんてことがありがちだ。

朝のニュース番組も、それを朝に見るというきちんとした理由があるのであれば問題はないが、なんとなく昔から見ているから、という理由なら無駄なインプットにほかならない。その日に起きたニュースがチェックできるから……というような理由も正当な理由にならない。

ニュースだけをチェックするならネットや新聞で十分だし、テレビのニュースよりネットや新聞のほうが詳細で、時間的にも短時間でチェックすることができる。

またそもそも、**ニュースを朝にチェックしなければいけない理由はなんだろうか？ 夜ではダメなのか？ 昼ではダメなのか――？**

そこまで考えて、それでも朝にニュース番組を見なければいけない、という理由があるのなら見ることに問題はない。

③「見栄」でしているインプット

これは、たとえば、たいして理解することができない英字新聞。

あるいは難解な文芸書や哲学書。

無駄なインプット――3つの典型例

①「べき」でしているインプット

②「惰性」でしているインプット

③「見栄」でしているインプット

もちろんこれらのインプットも、英語の学習をするため、哲学を理解するためなど、明確なインプットの理由があるのであれば問題はない。

そのような明確なインプットの理由もなく、**なんとなく読んでいると周りの人からカッコいいと思われるとか、頭がいいと思われる、友達に自慢できるなどという動機でするインプットは、まったくの無駄**である。

「なぜ、そのインプットをするのか、明確な理由をいえるかどうか」

また、理由があったとしても、

「ほかにより簡単かつ効率的でコストのかからない方法はないかどうか」

と考える。

その上でやはりそのインプットが必要だということであれば、それは無駄ではない。

INPUT 08

本を深く読む方法、あえて浅く読む方法

あなたは、何かをインプットする際に、その「深さ」というものを意識したことがあるだろうか？　私の提唱する「超」インプット術を身につけるには、

「インプットの深さ」

を意識する必要がある。

多くの人はインプットをする際、自然とその深さに強弱をつけていると思う。

たとえば、新聞を読むときに、一面の記事からテレビ欄に至るまで、すべての文字を読み込んでいるという人はいないだろう。見出しだけをチェックしたり、リードだけを読んだり、特定の記事だけを読み込んだりしているはずだ。

大切なのは、このインプットの「深さ」をしっかり意識することだ。

たとえば、**インプットの深さはレベル1から3までの、3段階くらいとする**のがわか

りやすいだろう。あまり細分化すると実践しにくくなる。

インプットをする際に、**「自分はいま、レベル1の深さのインプットをしている」というような意識を持つ**ことが必要なのだ。

なぜインプットの深さを意識するかというと、それが、効率的で無駄のないインプットにつながるからだ。

人は文字を読んでいると、「惰性」で同じようなペースで読んでしまうという傾向がある。あなたも、たとえば会社の資料などを読む際、これは大事な部分だと思って丁寧に読み進めていると、その大事な部分が終わっても、同じようなペースで読み続けてしまい、必要以上に読むのに時間がかかってしまったというような経験があるのではないだろうか。

そのような事態を避けるために、「インプットの深さ」を意識する必要がある。

「ここはレベル3の深さで読む必要があるな」

「ここからはすでに知っていることが書かれているから、レベル1程度の深さでいいな」

などと、常に意識する。

そして、読むスピードや集中力の傾け方を変えるべきなのだ。できれば、インプットする前に、その対象の全体像を把握し、部分ごとにレベルを変えていくといい。無駄なインプットを避けることができるだけでなく、穴のないインプットを効率よく行なうことにもつながるだろう。

本を読むときの三つの「インプットレベル」

私は、司法試験を受ける際、意識的に勉強する分野ごとのインプットレベルの違いを意識していた。試験問題としてよく問われる傾向のある論点や分野については、しっかりと深いレベルで理解し記憶しなければいけないので、インプットレベルはもっとも深い「レベル3」。

一方で、試験で問われる機会は少ないけれども、一応、試験範囲には含まれており、問われる可能性もありうる、という分野については「レベル1」の浅い理解と記憶でいいといったように割り切って勉強していた。

そういった「レベル1」に相当する分野については、試験で問われること自体が少ないし、問われる問題のレベルも高くない。また、ほかの受験生も深いレベルの理解をしていないので、大きく間違えることさえしなければ差がつくことはないのだ。

インプットは「深さ」を意識する

たとえば、ビジネス書を読むとき——

［レベル1］
目次や見出しだけを読む

［レベル2］
目次や見出しで気になったところだけを読む

［レベル3］
すべての内容を精読する

司法試験の出題範囲は膨大であるため、このように分野ごとにインプットのレベルを意識しなければ、効率よくインプットすることができない。

いわゆる「ベテラン受験生」と呼ばれている人たちは、そのようなインプットのレベルを意識していないと思う。すべての分野で「レベル3」を目指して勉強し、結局すべての分野を勉強しきれず穴ができてしまうのだろう。

または極端にヤマを張りすぎて、ヤマにあたる分野だけ「レベル3」のインプットをし、ほかは「レベル1」のインプットで穴をなくすことを怠っているのだ。

本を読む際にも、このような「インプットレベルの深さ」を意識する。すると、無駄がなく、かつ、穴のない読書ができる。たとえば、

「レベル1」のインプットは、「目次や見出しだけを読む」。

「レベル2」は「目次や見出しで気になったところだけを読む」。

「レベル3」は「すべての内容を精読する」。

といったように。

最近のビジネス書は、丁寧にポイントが章の最後にまとめられていたり、大事なところがゴシックで強調されていたりするので、その部分だけインプットをレベル1か2にしてもいいだろう。

それが、効率的で無駄のない、それでいて穴のない読書につながる。

ぜひ実践してみてほしい。

INPUT 09

インプットに関する"二つの重大な思い込み"

無駄がなく、かつ穴のないインプットをしていく上で、これまで常識だと思い込んでいた考え方が邪魔になることがある。その代表例が、

「体系的に学ばなければいけない」

「活字は正しい」

というものだ。

①「体系的に学ばなければいけない」という思い込み

この思い込みは、長年受けてきた学校教育の弊害、呪縛にほかならない。

学校教育では、通常、教科書を頭から勉強していき、順番に知識を身につけて体系的に勉強を進めていくという方法が取られている。

これに慣れ親しんでしまったばかりに、知識をインプットする際に、常に「体系的に学ばなければいけない」と考え、それにこだわってしまうことがある。

しかし、そのこだわりを持ちすぎると、たとえば、一冊の本の内容をインプットするとき、「はじめに」の内容からじっくりと1章ずつすべて読み込んでいく、というようなインプット方法になってしまう。

だが、1章や2章の内容が、すでに自分の知っている内容と同じものであったり、言い方は違っていても基本的な内容が同じだったりしたような場合、それを詳しく読み込むのは無駄でしかない。自分が知らない知識が書いてある部分だけを読み進めたほうが手っ取り早い。

また、**体系的なインプットを重視していると、途中でよくわからない部分があったとき、なかなか前に進むことができず、結果的に全体の理解や記憶するスピードが遅くなってしまう**のだ。

司法試験の勉強の際、予備校の教師は、「勉強していて途中でわからないところがあっても、飛ばして先に進みましょう。最後まで勉強してはじめてわかることがあるからです」とよくいっていた。

法律というのは、非常に体系的な学問で、条文などによってその体系がしっかりと構築されている。しかし、**学問として体系的であったとしても、内容のレベルが「簡単な内容からだんだん難しくなる」というように順序立っているわけではない。**

したがって、最後までひととおり勉強してはじめて最初の内容が理解できるということもあるのだ。

学校の教育ではそのようなことは基本的にない。簡単な内容からだんだん難しい内容を学ぶようになっている。それゆえ、いまインプットしていることを正確に理解していないと、あとから出てくることは理解できない、と自然に思い込んでしまうのだ。

しかし、**あなたがインプットすべきことは必ずしも体系的に並んでいるとは限らない。**体系にこだわりを持たずにインプットすることを意識することが大切だ。

だが、体系的なインプットは、インプットの穴をなくすという意味ではとても有効な方法だ。体系を意識することで、自分のインプットのどこに抜けがあるのか、どのインプットが不十分なのかがわかるからだ。その意味では、体系的なインプットを全否定しているわけではない。

②「活字は正しい」という思い込み

この思い込みも学校教育の呪縛といえる。学校教育では、教科書という活字で書かれた媒体の内容は絶対的なものであった。そのため「活字=正しい」という思い込みが自然と身についており、「活字になっている内容なら間違いない」と考えている人も多い。

しかし、活字というのは、表記方法の一つにすぎない。文字の背後には、その文字や文章を生み出した誰かの考えが存在しているのであって、その考えが真実であるとは限らないのだ。

間違った考え方であっても簡単に活字にすることはできる——そのことを理解すれば、活字だから正しい内容であると盲信してインプットすることがなくなり、インプットの質が上がる。

法律の現場では、いままでの法律に対する固定観念を覆すような画期的な判例が生まれることがある。活字で書かれた法律書に、「できない」と書いてある内容が「できる」に変わってしまうような判例である。

そのような判例を生み出すためには、いかにも論理的な文章で書かれた難解な法律書の活字の記述に対して、それを鵜呑みにせず徹底的に疑い、自分の頭で考えることが必要だ。「活字は正しい」という思い込みを捨て、自分の頭で考えるインプットをした法律家だけが、世の中を変える判例を生み出せるのだ。

INPUT 10

「インプット自体には何も価値がないと知れ」

インプット術を身につける上で気をつけてほしいことの一つに、

「インプット自体には何も価値がないことを知れ」

というものがある。

インプットというものは、アウトプットの前提となるものであり、アウトプットのためにインプットがある。

後述するが、アウトプットにこそ価値があり、インプット自体には価値がない。あくまでも、「目的」はアウトプットであって、インプットはそのための「手段」にすぎない。

ところが、インプットをしているうちに、この目的と手段が逆転してしまい、**インプットをすること自体が目的になってしまう人がいる**のだ。

たとえば、読書でいうとわかりやすいのだが、活字が好きな人などは、なんらかの情報を得るために本を読んでいても、だんだんと読むこと自体が楽しくなってしまい、目的と手段が逆転してしまうのだ。

私は、自著などで繰り返し書いているのだが、**実践のない読書、行動につながらない読書というのは、単なる「娯楽」にすぎない。**

このように、読書をはじめとするインプットとアウトプットが逆転する現象は、学校教育の弊害ともいえるだろう。

通常、小学生などの幼少期には、本を読んでいるだけで教師や親から褒められたり、読むこと自体が宿題などになっていることが多い。そうした経験によって、読書をすること自体に価値があるという認識を刷り込まれているのだ。

「いつか役立つかも」の「いつか」は永遠に来ない

勘違いしてほしくないのだが、私は単なる娯楽としての読書や、楽しみとしてのインプット（それをインプットと呼ぶかどうかは別として）それ自体を否定しているわけではない。

ここをけっして間違えるな

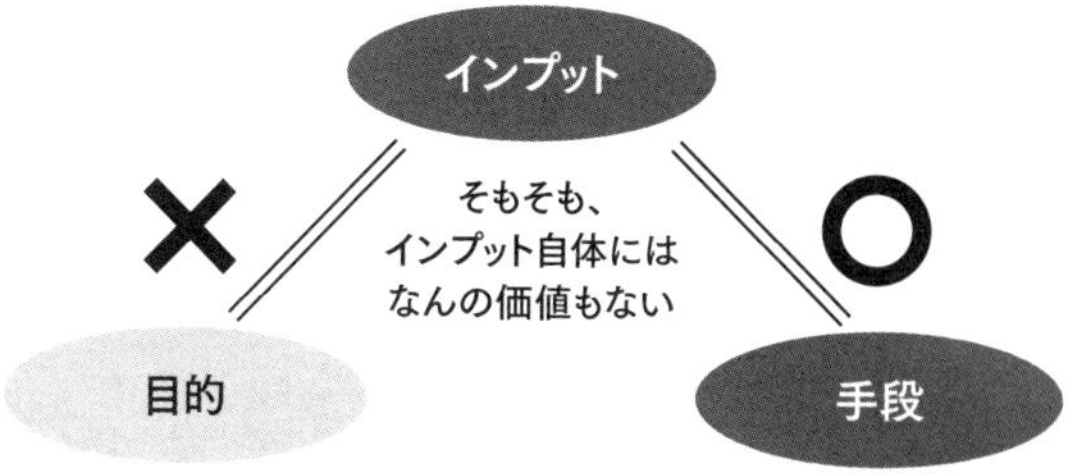
インプット
そもそも、
インプット自体には
なんの価値もない
目的
手段

もちろん、好きな作家の小説を読むのはとても楽しいものだし、それが人生を豊かにするという価値があるのは当然である。

重要なのは、**アウトプットにつながらないインプットにもかかわらず、それ自体を目的化してしまい自己満足してしまうことが危険**だということだ。

単なる娯楽としてのインプットをしているだけなのに、いかにも意味のあるインプットをしていると勘違いして、本来すべきアウトプットや、アウトプットにつながるインプットを怠るのが問題なのだ。

弁護士の中にも、このように価値のないインプットを価値のある仕事だと勘違いしている人がいる。

学問としての法律に興味があり、好きなので、新しい法律書などが出版されると、楽しく読みふけってしまうのだ。

しかし、具体的な案件についての必要な知識を身につけているのでなければ、それは単なる娯楽だ。

実は私も、弁護士になりたてのころは、「いつか役に立つかも」というようなもっともらしい理由をつけて、新刊の法律書を読みふけっていたことがあった。

いまから考えると、これは無駄なインプットだった。本当に新しい法律知識が必要であれば、そのときにまとめてインプットすれば十分なのだ。

その場合には、どんな法律のどんな知識が必要なのかが明確になっているため、ただやみくもにいつか使うかもしれない知識を身につけるより、はるかに短時間で効率的にインプットすることができる。「いつか使うかも」というその「いつか」は永遠に来ないのだ。

このように、**インプット自体には何も意味がない、という意識を持つと、どんなインプットが無駄であるかというのがわかるようになってくる。**

読書、勉強、仕事……自分のインプットが単なる自己満足になっていないか。

そのインプットを価値のあるインプットだと勘違いしていないか。

いま一度、振り返ってみてほしい。

INPUT 11

自己啓発書を買いあさる人たちへ

無駄なインプットは徹底的になくすべきだ、という話を聞いてもそんなインプットをやめられない人はいるだろう。

そうなってしまう背景の一つには、**自分がまだ知らない、すごい知識がどこかにあるのではないか、**という思いを持っているからだと思う。

かつての私もそうだった。自己啓発書にはまっていたとき、どこかの本に、これまでとは違って知るだけで人生が大きく変わってしまうようなものがあるのではないか、という思いにとらわれていた。

そして、最新の自己啓発本から古本でしか手に入らないものまで大量に買い込んで読みふけり、インプットに膨大な時間を費やしていたのだ。

しかし、どこかに誰も知らない画期的な知識があるはず、という思い込みは間違いだ。世の中にはすでに情報があふれており、**あなただけが知らない画期的な知識や、知るだけで人生が変わってしまうようなスキルなどは存在しない。**すべての情報はすでに公開されて世の中に存在しているのだ。

以前、何かの本で読んだのだが、国家レベルの秘密情報を取得するプロであるスパイは、9割の時間をすでに公開されている情報を収集することに費やしているそうだ。

情報のプロであるスパイですら9割のインプットは公開情報から収集しているのだから、一般人の我々が生きていく上で必要な情報は、すべて公開されたものに含まれていると考えていい。秘密の情報を探し続けることは、幸せの青い鳥を探し続けるようなものなのだ。

〝ノウハウコレクター〟になってはいけない

それでも、そんな情報を探し回ることをやめられないという人は、このように考えてみてはどうだろうか。

それは、**運や縁を信じる**こと。

自分にとって必要な情報、人生を変えるような知識というのは、それが必要であれば自然と出合うようになっていると考えるのだ。

運や縁なんて持ち出されても信じられない……と思う人もいるかもしれない。しかし、どんな人であっても、あのときあのタイミングであの人に出会っていなかったら、あの状況でこの出来事が起きていなかったらいまの自分はありえない、というような経験をしているはずだ。

そのような出来事は、インプットにおいても同じように起きる。自分にとって価値ある情報や知識に出合うことは決まっているのだから、あせってインプットに長時間を費やして時間を無駄にする必要はないのだ。

自己啓発やマーケティングなどの本を買いあさったり、セミナーに出席しまくったりしている、**いわゆる〝ノウハウコレクター〟と呼ばれるような人たちは、まさに無駄なインプットがやめられない人たち**だ。どこかにまだ見ぬ斬新なノウハウがないかと、膨大な時間を費やしているのだ。

それよりも、**最低限のインプットを済ませたら、そのインプットを行動に移すことのほうがはるかに大切**だ。そのほうが、かえってインプットすべき情報や知識の内容が明確になり、的確なインプットができる確率が高くなるし、本当にそのときの自分にとって価値のある情報や知識に出合う確率も高くなるだろう。

INPUT 12

三つの視点で無駄なインプットを洗い出す！

これまで無駄のないインプットについて説明してきたが、頭で理解しただけでは意味がない。

あなたは、無駄のないインプットを「実践」する必要がある。

無駄のないインプットを実践するための第一歩は、日々の生活の中に無駄なインプットがないかどうかを徹底的に検証することだ。

まずは、あなたの日常生活を朝から順番に思い返してみてほしい。そして、インプットにあたる行動をピックアップして紙に書き出してみるのだ。

「朝のニュース番組を見る」

「新聞を読む」

「駅まで歩きながらラジオを聞く」

「電車の中で本を読む」

など、しっかり思い出していくと、一日のうちで意外と多くのインプットにあたる行動をしていることに気がつくと思う。

それらの自分のインプット行動それぞれについて、

「必要なインプット＝○」

「無駄なインプット＝×」

「無駄かもしれないインプット＝△」

という三つに振り分けていくのだ。

振り分ける際は、次のような視点から行なってみてほしい。

①「べき」「惰性」「見栄」でインプットしていないか

これは、46ページの項ですでに説明したとおりだ。人にいわれたから、ただなんとなく、カッコつけたくて……というだけでインプットするのは無駄である。

②インプットのコストパフォーマンス（コスパ）はどうか

コスパというのは、いわゆる費用対効果のことで、かけたコスト（時間、労力、お金）に対して、どれほどの成果が得られるかということだ。

たとえば、仕事に役立つと思って購入した最新マーケティング理論の書かれた洋書を読んだときのことを考えてみる。洋書ということなので、入手するのは難しく購入手続きが大変であったり、英語の内容を読み解くのに時間がかかったりしていたとしたら、時間というコストが多く費やされたということになる。

また内容が難解であれば、インプットの労力というコストもかかる。洋書は値段の高いものが多いし、海外から取り寄せるのであれば送料なども高額で、お金の面からいってもコストが高い。

それに対して成果はどうだろうか。その本のマーケティング理論を自社商品に応用したところ、これまでの倍以上の売上につながったかもしれない。または、結局、内容が難解すぎて理解できず意味がなかったかもしれない。

前者の結果であれば、コストがかかってもパフォーマンスはいいといえるし、後者の結果であればコスパの悪いインプットになる。コストとパフォーマンス（成果）のバランスを考えて、必要なインプットか、無駄なインプットかを振り分けるのだ。

③インプットする理由を明確にいえるかどうか

無駄なインプットを見極める３つのポイント

① 「べき」「惰性」「見栄」でインプットしていないか

② インプットのコストパフォーマンスはどうか

③ インプットする理由を明確にいえるかどうか

これも必要なインプットか無駄なインプットかを区別する基準になる。

なんのためにインプットをするのか明確になっていないインプットは、成果につながっていないインプットであることが多い。

このように、**日々のインプット行動を○×△に振り分け、×そして△の順番に1週間から1カ月の間、インプットするのをやめてみてほしい。**

たいていの場合、1カ月ほど経過しても日常生活になんの支障もないことに気がつくと思う。

そうであれば、今後そのインプットは一切やめることだ。

やめたと同時に、そのインプットに費やしていた時間をほかのインプットの時間にあてたり、自分の好きなことをする時間にあてたりすることができ、時間の有効活用につながることがわかるだろう。

もし、インプットをやめたために仕事や私生活に支障が出た場合には、必要なインプットであることが明確になったと考え、またインプットを開始すればいいのだ。

ただしその際には、同じ目的を達成するためにもっと短時間でできる効率的な方法がないかどうかを考えるのを忘れないでほしい。

実際に、私はこのような手順で自分のインプットに無駄がないかどうかを確認し、毎週購読していた、ある雑誌を読むことをやめてみた。

結論として、雑誌を最初から最後まで読むことは無駄なインプットであることがわかり、いまでは目次を眺めて必要な記事だけを拾い読みするという方法を取っている。

日常生活における無駄なインプットがないかどうか——。

それをよく検証してみてほしい。

そして無駄なインプットを排除するとともに時間の有効活用につなげてほしい。

INPUT 13

「良書を読むためには、悪書を読まないことだ」

無駄なインプットをなくし、インプットの質を高めていこうとするときに、そのアプローチ方法として覚えておいてほしいことがある。

それは、

「いいインプットを求めるより悪いインプットを避けるのが先決」

という意識を強く持ってほしいということだ。

なぜかというと、それまで漠然とインプットをしていた人が、いきなり「いいインプット」がなんであるかに気づき、実践することは難しいからだ。

そもそも、いいインプットがなんであるかがわかっていれば、その時点でいいインプットがすでにできているはずだ。

逆に悪いインプットというのは、それがどのようなものであるか比較的わかりやすいといえる。

たとえば、これまで説明してきた「べき」「惰性」「見栄」によるインプットなど、本書をここまで読んできた人であれば、簡単に悪いインプットだと見極めることができる。単純に考えて、悪いインプットを避けることができれば、残るのはいいインプットだ。

「いいものの評価は分かれ、悪いものの評価は一致する」法則

このようなインプットに対するアプローチ方法については、ドイツの有名な哲学者であるショーペンハウエルも同じことをいっている。

彼は『読書について』という著書において、**「良書を読むための条件は、悪書を読まないことだ」**という言葉を残している。

このショーペンハウエルの言葉には、**「良書というのは、探そうとしてもなかなか簡単に見極められるものではない。しかし悪書の見極めは比較的容易にできる。そうであれば悪書を読まないことが結果として良書を読むことにつながるのだ」**という意味があると私は解釈している。

いいインプットというのは、ある意味、結果論的な性質を持っている。

インプット上手になるための考え方

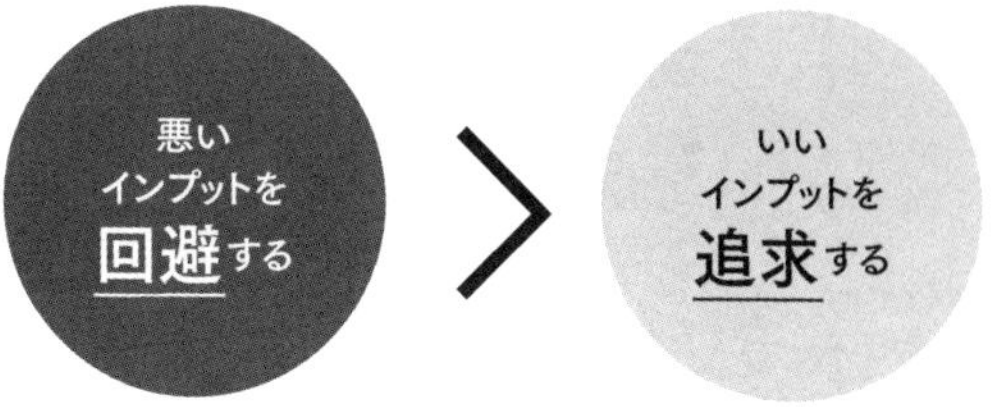
悪い
インプットを
回避する
＞
いい
インプットを
追求する

「良書を読むための条件は、悪書を読まないことだ」（ショーペンハウエル）

たとえば、多くの人が心に響く良書だ、と評価している本を読んでも何も感銘を受けないこともあれば、あまり話題とならない本でも自分の人生を変えるような良書になりえることもある。

このように、いいインプットとなるかどうかは、運の要素がからむのだ。

一方で、多くの人が悪書であると評価する本は、自分にとっても価値のない本になる可能性が高い。もちろん多くの人が評価しない本でも自分にとって良書となることは可能性としてありうる。

しかし、一般論として、**いいものの評価は人によって分かれることが多くても、悪いものの評価は一致することが多い**、という法則がある。

以前、私は、司法試験に合格したあと、司法試験の論文試験の模擬試験答案添削を担当していたことがある。

答案添削を担当するのは司法試験合格者だけなのだが、どの答案に高い評価をつけるかは、担当者によってかなりばらつきがあった。

たとえば、私が100点満点だと思う答案を、ほかの担当者は「ぎりぎり合格点の70点だ」と評価したりする。

しかし、不思議なもので、ダメな答案については、どの添削担当者が見ても「不合格」という評価になるのだ。

このように、いいものの評価は人によって分かれることが多くても、悪いものの評価は一致することが多い。

だとすれば、インプットにおいても、**当たり外れの多い「いいインプット」を目指すより、はずれの少ない「悪いインプット」を避ける、というアプローチ方法のほうがすぐれている**と考える。

このことは言い方を変えると、**「インプットで大切なのはインプットそのものではなく、何をインプットするかを見極めることにある」**ということでもある。

いくらインプットのやり方を工夫して短時間で大量のインプットができるようになったとしても、インプットする内容そのものが価値のないものであったとしたら意味がないのだ。

INPUT 14

AI時代にこそ、「インプット」が必要不可欠である

いまさらに感じるかもしれないが、ここで、そもそもなぜ人はこの時代においてもインプットが必要なのか考えてみたい。

インターネットやスマホ等の電子機器が発達したいま、必要な知識はすぐに手に入れることができる。知らない言葉や物事が出てきたとしても、手元にあるスマホで検索をかければ、画像つきで詳しい解説を読むことができる。

また、近年ではスマートスピーカーなども存在しており、機械に話しかけるだけで、さまざまな情報を手に入れることができる。

そう考えると、わざわざ機械より性能の悪い人間の脳に知識をインプットする必要などないようにも思える。

しかし、結論からいうと、やっぱり現代でも知識のインプットは必要だ。その理由は

次のようなものである。

①新しいアイデアを生み出すために知識のインプットが必要不可欠だから

新しいアイデアというのは、人間が頭で考えなければ出てこない。

そして、知識のインプットがなければ、人の頭は新しいアイデアを生み出すことができない。だから知識のインプットが必要になるのだ。

弁護士として仕事をしていると、依頼人に不利な状況でも、法律をうまく利用して自分に有利な結論を呼び込まなければならない。

その際には、敵対している相手方や、中立的な立場から判断を下す裁判官が納得するような法律論を展開する必要がある（これを法律構成といったりする）。

既存の判例や法解釈には存在しないけれども、きちんと説得力のある法理論を生み出すには、頭が擦り切れるくらい考えるほかない。

その際に、既存の判例や法解釈の知識がきちんと頭にインプットされているのは、当然の大前提だ。

なんとなく知っている、とか、調べればわかるけれど曖昧、などというインプットのレベルでは、新しいアイデアは生まれない。自分の血肉となり、体に染み込むレベルのインプットが必要だ。

そうした法律知識があってはじめて新しい法律構成のアイデアが生まれるのだ。その意味で、新しいアイデアを生み出すために、大量かつ的確な知識のインプットは不可欠なのである。これはどんなビジネスでも同じだろう。

②現代社会が大量かつ的確なインプットを求めているから

これは、大学や資格などの各種試験を想定するとわかりやすいだろう。たとえば大学受験などで必要とされる歴史の元号などは、インターネット上で検索すれば瞬時に「知る」ことができるが、試験においては知識として「記憶」していることが求められている。

そんな知識の詰め込みは無駄だ、といっても、実際に試験などで必要とされているのだから、反発しても意味がない。求められているからインプットする、と割り切るほかないのだ。

③正しい知識によってさまざまな業務の処理スピードが速くなるから

正しい知識が多ければ多いほど、仕事のスピードが速くなる。たとえば業務マニュアルがすべて、しっかり頭に入っている人と、業務マニュアルをいちいち調べながら仕事をする人、どちらが早く仕事を終わらせることができるかと考えればすぐに理解できるだろう。大量かつ的確なインプットは業務スピードや業務の正確性も高めるのだ。

④本物の知識は人としての成長に役立つから

たとえば、書籍で偉人の名言をインプットする、セミナーなどで上司・部下とのつき合い方について学ぶなど、知識をインプットし、それを実践に移すことで人として成長することが多々ある。

借り物の知識として知っているのではなく、本物の知識、使える知識として自分の頭にきちんとインプットしてこそ成長につながる。

⑤多彩な知識は人生を豊かにするから

これは、趣味としてのインプットや、それ自体が楽しみなインプットを想定している。好きな映画を見たり、趣味として読書をしたりする場合だ。

人には本能的に知識欲があり、何かを深く知ること、それ自体に興味や楽しみを見いだすことができる。

それでもインプットが必要な理由

① 新しいアイデアを生み出すために知識のインプットが必要不可欠
② 現代社会が大量かつ的確なインプットを求めている
③ 正しい知識によってさまざまな業務の処理スピードが速くなる
④ 本物の知識は人としての成長に役立つ
⑤ 多彩な知識は人生を豊かにする

インプットを楽しみ、それ自体を目的にするためにインプットを必要とすることもあるのだ。

以上が、私の考える、大量かつ的確な「超」インプットが必要な理由だ。

そもそも**インプットが必要な理由を考えるというのは、インプットの「目的」を考えることと同じ。そしてインプットの目的を明確にすることは、無駄や穴のない質の高いインプットをすることに直結する。**

なぜなら、その目的以外のインプットは、無駄で必要のないインプットであるということが明確になるからだ。

何をインプットすべきかわからなくなってしまったとき、インプットのモチベーションが落ちてしまったときなど、そもそもなぜインプットが必要なのか立ち止まって考えてみるといいだろう。

第2章

限られた時間で圧倒的な知識を得るインプットの技術

INPUT 01

年間700冊読んでも99%の本は読めないという現実

ここから、私が提唱する「超」インプット術を「読書」「勉強」「仕事」という実践的な場面にそって紹介したい。

まず、**読書**だ。

読書におけるインプットを考える上で、まず知っておいてほしいことは、「人が一生のうちに読むことができる本の量は、かなり限られている」ということだ。

どんなに本が好きな人であっても、また速読術を身につけて本を読むのが速い人であ

っても、一生のうちに読むことができる本の量はごくわずか――。そのことを骨身にしみて理解することが、読書というインプットを考える上で必要不可欠だ。

「そんなことはわかっている」「読める本の量に限界があるなんて当然だ」

そう思うかもしれない。しかし、多くの人は、本当には理解していないと思う。

試しに、人がどれくらいの量の本を読むことができるか試算してみよう。

1章でも紹介したが、平成30年に文化庁が行なった日本人の読書量に関する調査がある。

これによると、1カ月に何冊くらい本を読んでいるかという質問に対して、「(1冊も)読まない」と回答した人が47・3%ともっとも高く、次いで「1、2冊」の人が37・6%、「3、4冊」の人が8・6%、「5、6冊」の人が3・2%、「7冊以上」の人が3・2%となっている。

ほぼ半数の人が、月に1冊も本を読んでいないこと、そして8割以上の人が月に1、2冊以下しか本を読んでいないというのは、なかなか衝撃的な結果だと思う。

それはおくとして、とりあえず月に4冊、週に1冊のペースで本を読んだと仮定しよう。月に3、4冊本を読んでいるのは、調査によれば約8・6%の人であり、読書量の多さでは日本人の上位15%に入る。

つまり、10人中一番か二番目に読書量が多い人であり、試算するには十分な読書量だろう。月に4冊本を読んでいれば、年間48冊本を読むことができる。3年間では144冊、5年間で240冊、10年間で480冊読めることになる。

本を買う前に、この二つの自問自答を

この数字を見てどのように感じるだろうか？

人によってはそれだけ読めれば十分と感じるかもしれない。

ここで、1年間に新刊として出版される書籍の数を見てみよう。総務省統計局の統計データによると、令和元年の新刊書籍出版点数は、7万1903点。

これはとてつもなく多い数だ。単純に365日で割ると、196冊。すなわち毎日200冊近くもの新刊書籍が出版されていることになる。

それに対して年間で読める本の冊数は48冊だから、1年間かけても1日で出版される書籍すべてを読むことはできない。仮に毎日2冊、年間約700冊を読んだとしても、1年間で生み出される書籍の1％も読むことはできない計算になる。

このように数字を明確にすると、**一人の人間が、一生のうちで読むことができる本の**

「速読」するより大事なこと

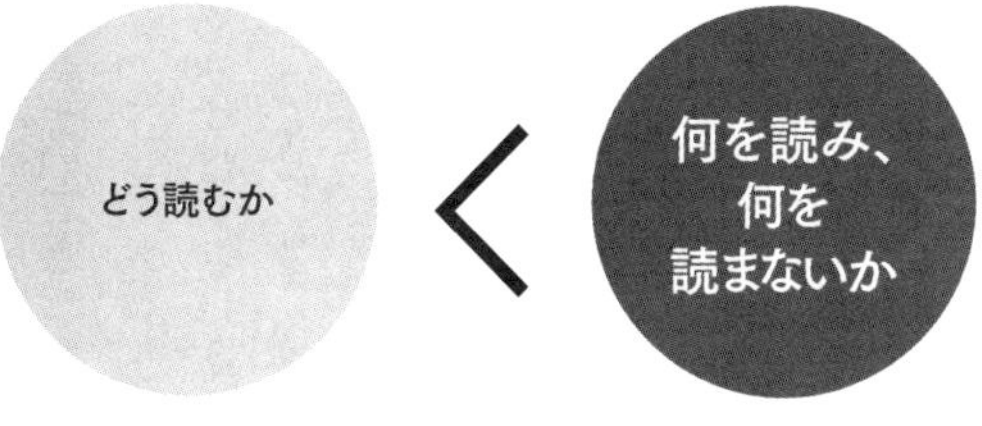

どんなに速読しても、人は99％の本は一生読めない

量は極めてわずかであるということが理解できると思う。そのことをふまえると、読書というインプットを考える上で重要な視点が見えてくる。

それは、**何を読み、そして何を読まないか選別することが必要不可欠である、**ということだ。

いかに読書のスピードが速くても、また内容の理解が早かったとしても、私たちには限られた時間しか与えられていない。

「私は読むスピードが速いからとりあえずなんでも読もう」とか「読書が好きだからとにかくなんでも読もう」といった気持ちで読書をはじめてはいけないのだ。

①なぜその本を読むのか
②この本は自分の人生に残された時間を使って読むに値する本なのか

という二つの自問を徹底的に繰り返す。

それでも読むべきであると考えられる本だけを読むべきなのだ。

私自身もそのことを身にしみて理解していないときがあった。

あるきっかけで読書に目覚めた私は、読書のすばらしさに衝撃を受け、日本中いや世界中にあるすばらしい本をすべて読み、人生に役立ててやろうと考えた（詳細は拙著『1年後に夢をかなえる読書術』に書いている）。

忙しい弁護士業務の間に、書店めぐりをして本を買いまくった。そして寝る間を惜しんでそれらの本を読んだ。

しかし、読んでも読んでも〝積ん読〟状態（読めない本が積みっぱなしでたまってしまうこと）がひどくなるばかりであった。机いっぱいの積ん読本を目の前にして絶望的な気持ちになりながら、ようやくすべての本を読むことはできないことに気がついたのだ。

そしてそこから本書で紹介する読書のインプット術にたどり着いたのである。

人が一生のうちに読める本の量は極めてわずかである――。

このことをまずは腑に落ちるまでとことん理解すること。

その深い理解こそが効率的で無駄のない読書というインプットにつながってゆく。

INPUT 02

読書のインプットスピードを劇的に上げる秘訣

読書のインプットスピードを劇的に向上させる一番の秘訣。

ずばりそれは、本を「読む」のではなく「見る」ことだ。

これだけでは何をいっているのかわからないかもしれないが、文字どおり本を一字一句漏らさず読んでいくのではなく、文字を「見て」そこに書かれている情報を知る、という意識で本を読むのだ。

たとえていうと、イベントの告知ポスターを見るときと同じようなイメージである。イベントの告知ポスターなどは、文章で説明が書かれていたとしても、一字一句それを最初から読んだりはしないだろう。

たとえば、イベントの日時、開始時間、チケット代金など、自分にとって大切な部分や知りたいところを探して知る、という「見方」をするはずだ。

これと同じように本を読むのだ。

そもそも本を冒頭から一字一句読まなければいけない、というのは学校教育の弊害だ。日本人は小学校の国語の授業で、1年生のときから教科書の内容を丁寧に一から読んでいく。本を読むというのは、そういうものだと刷り込まれているのだ。

しかし、考えてほしいのだが、そもそも読書の目的とはなんだろうか？

それは、自分にとって必要な知識や情報をインプットすること。一字一句、丁寧に頭から読むことではない。小学校の国語の授業で本を読む目的は、文字を覚える、日本語の読み方を覚える、といったものだろう。その目的のためであれば、一文字ずつ丁寧に読む読み方が最適だ。

しかし、大人の読書の目的は違う。日本語や文字はすでに習得しているのだから、目的は、情報のインプットにほかならない。

そうであれば、その目的を達成できる読み方をすればいいのであり、一文字ずつ読む必要はまったくない。

「考え方」を変えるだけで読むのが速くなる

必要な箇所、重要な箇所だけを「見る」

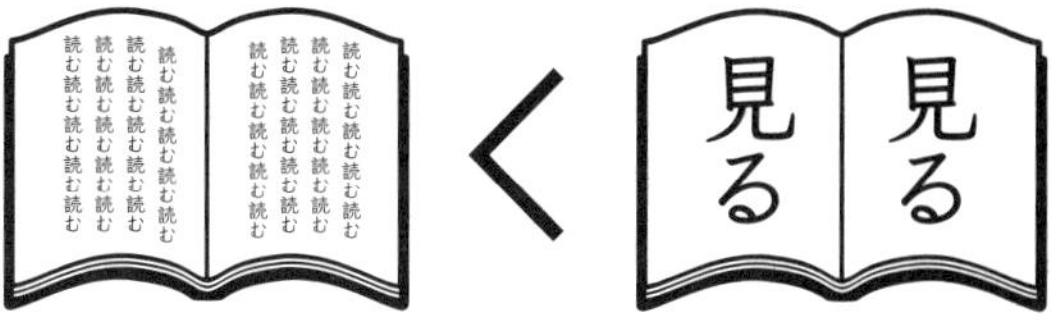

本は「読む」ものではなく「見る」ものである

「読む」のではなく「見る」のが正しいといわれても具体的にどのように見ればいいのかわからない、という疑問があるかもしれない。

しかし、多くのビジネスパーソンは「見る」読書術をすでに実践している。

たとえば、新聞だ。新聞の内容を一面から一文字ずつ読んでいる人はほとんどいないだろう。まずは紙面をざっと見て、見出しなどから必要な情報を読み取ろうとしているはずだ。

それと同じように、**本も最初のページからパラパラとめくっていき、見出しなどに注目しながら自分にとって必要な情報がどこにあるかを見ていけばいいのだ。**

そして本を見ていて気になった部分があったり、情報としてインプットしたい部分があったりしたら、詳しくその部分を読んでいく。この流れは新聞を読むときとまったく同じである。

このように、**本は「読む」ものではなく「見る」ものであるという意識に変わっていくと、速読術などのテクニックが不要になる。**「見る」という意識で本を読み進めていけば、それだけで速読と同じスピードで読めるようになるのだ。

そもそも、「速読」というものは、技術やテクニックといったものではなく、一つの「概念」にすぎないと私は考えている。

世の中にはテクニックとしての速読術はたくさんあるが、読書は「読む」ものではなく「見る」ものであると考えれば、速読技術を使った場合と同じように本を速く読むことができるようになり、技術は不要になる。

速読の技術を身につけなくても、「考え方」を変えるだけで速読術と同じかそれ以上のスピードで本を読むことができるのだ。

もっとも、いままでの人生で「本とは丁寧に読むものだ」という意識を持っていた人には、いきなり本を「見ろ」といわれてもそのやり方がよくわからないかもしれない。

本を「見て」インプットするには、やはりそれなりのコツといったものがある。そのコツについてはこれから紹介していこうと思う。

INPUT 03

「脳のRAS機能」を活かした超効率的読書術とは

本を「読む」のではなく「見る」意識が大切だと前項で説明した。

人によっては「見るだけで必要な情報がインプットできるのか？　読まないと大事な情報を取りこぼしてしまうのでは？」と疑問に感じるかもしれない。

しかし、そのような心配は不要だ。

なぜなら、

「脳のRAS機能を使えば、本を『見る』だけで必要な情報はインプットできる」

からだ。

RASとは、「Reticular Activating System」の略で、日本語では「網様体賦活系《もうようたいふかつけい》」という。脳の機能の一つで、**「自分にとって必要な情報だけを脳にインプットするフィルター」**のような役目をしている。

脳はとても合理的につくられており、効率よく情報のインプットをするようにできている。

そのため、視覚や聴覚といった感覚で認知した情報をすべて同じようにインプットするのではなく、自分にとって重要な情報だけを取り込むようにできている。その際に使われるのがRASだ。

ここで問題だが、あなたがいつもしている腕時計を、実物を見ないで絵に描くことができるだろうか？

実際にやってみるとわかると思うが、なかなか難しいと思う。一日に何度も見ているはずの腕時計なのに、その正確なビジュアルはインプットされていないのだ。

これはRASの機能が働いているからにほかならない。時計を見る際に重要な情報は、いうまでもなく「時間」である。

そのためRASが、時計のデザインなどといった時間以外の余計な情報をフィルタリングして遮断しているのだ。

このRASという機能には、不要な情報を遮断するという働きのほかに、たくさんの情報の中から自分にとって重要な情報を探し出すという働きもある。

たとえば、あなたが新しく車を購入したとき、自分の買った車と同じ車種の車が街な

脳の「RAS機能」を活かした読書術

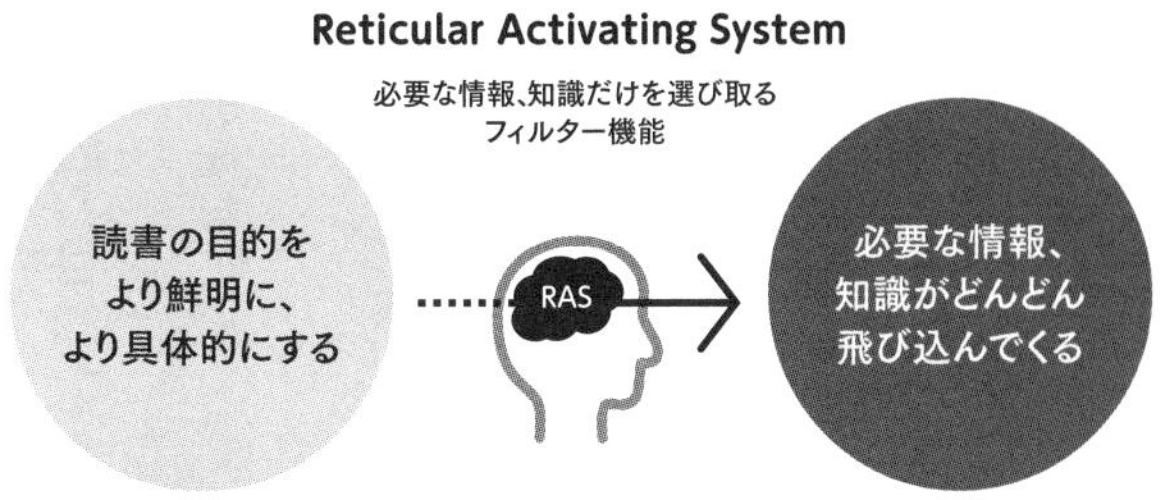
Reticular Activating System
必要な情報、知識だけを選び取る
フィルター機能
読書の目的を
より鮮明に、
より具体的にする
RAS
必要な情報、
知識がどんどん
飛び込んでくる

かでしょっちゅう目につくようになった、というような経験はないだろうか。自分の買った車と同じ車種の車がこんなに街なかを走っていたかな……と、ふと思うのだ。

しかし、自分が車を買ったからといって、突然その車が街なかに増えるということはありえない。

RASの機能により、自分の買った車が自分にとって重要な情報となったため、いままでは遮断していた情報が急に脳にインプットされるようになったのだ。

このようなRAS機能をうまく読書に使うことができれば、「見る」だけで効率的に情報をインプットすることができる。

自分にとって重要な情報がなんであるかを明確にすれば、「見る」だけでその情報が本の文字情報の中から浮かび上がってくるのだ。

「本を読む目的」を書き出してみる

脳のRAS機能を上手に使うコツは、**自分にとって重要な情報を「明確にする」**ということだ。

そのために、**本を読む前に、「この本から○○という情報を探し出す」というように、インプットしたい内容を鮮明にし、それを強く意識する**ことが必要だ。

たとえばビジネス書を読むのであれば、「この本から、タスク処理を効率化するポイントとなる情報を探し出す」とか、「この本から、初対面でも信頼関係を構築するコツについての情報を探し出す」というように意識をするのだ。**本のどこかに読む目的を書き出す**のもいいだろう。

この方法は、読書だけでなく、文章を読むあらゆる場面において役に立つ。

たとえば私は、弁護士の業務として、大量に書類を読み込まなければいけないときに使っている。

ある裁判案件で、従業員が横領行為をした疑いがあり、会社が懲戒解雇をしたものの、従業員がその横領行為を否定して争われたことがあった。

私は、解雇をした会社側の代理人として弁護活動をしていた。横領行為があったことを示す証拠として関連する経理資料すべてに目を通す必要があると考え、会社担当者に資料を用意してもらったところ、ダンボール4箱分もの量になった。

何も意識せずその資料を読んでいたのでは、とても裁判期日に間に合わない。

そのため、「この資料の中から、従業員の主張と矛盾し、かつ横領行為の根拠となる情報を探し出す」と強く意識して資料を「見る」作業を続けた。

すると、裁判期日に間に合う形で、膨大な資料の中からそれに該当するたった2枚ほどの書類を見つけ出すことができた。結果として裁判に勝つことができたのである。

INPUT 04

これだけで、本がいままでの10倍速く読める

読書のインプットスピードを速くする方法の一つに、

「文章の構造を理解する」

というものがある。

これは、ビジネス書や自己啓発書などの実用書を読んで情報、知識をインプットする際に使えるテクニックだ。小説などにはあてはまらない。

こうした実用書では、多くの場合、文章の構造が次のようになっている。

①問題提起

②理由・データ

③結論

ビジネス書はこう読め

この文章の構造を把握した上で、①と②の部分を飛ばしたり斜め読みしたりして、③の**結論だけを頭にインプットする**のだ。これにより、しっかりと読む部分が③だけになり、読書のインプットスピードは俄然、速まる。

具体的な例で説明してみよう。

ここでは、「人生で成功するためには、明確な目標を設定することが重要である」という自己啓発書にありそうな文章を例として挙げたい。

「①多くの人が、自分の人生は失敗ばかりだと感じています。はたして人生で成功するために、もっとも大切なことはなんでしょうか？

②この点について、１９７９年にハーバード大学で行なわれた調査があります。同大学のＭＢＡ修了生に

対して『未来についての明確な目標を紙に書き、それを達成するための計画を立てていますか』というアンケートをしたところ、イエスと回答したのは3％でした。10年後、その3％の学生の平均収入は残りの97％の人の平均収入のおよそ10倍だったそうです。

③この調査結果からすると、人生で成功するためにもっとも大切なことは、明確な目標を紙に書き、その達成のための計画を立てることだ、ということがわかります」

さて、この三つの段落のうち、

①の段落「問題提起」
②の段落「理由・データ」
③の段落「結論」

ということになる。

文章の構造を理解して読書のインプットスピードを上げるというのは、このように文章の各位置づけを理解し、①と②を読み飛ばしたり斜め読みしたりして、③の結論だけを頭にインプットすることだ。

この文章でもっとも大切なのはどこか。

結論となる③の段落だ。①や②は、③の結論をわかりやすくしたり、説得力を持たせたりするために存在している。極端なことをいえば、③を理解し、それを実行できれば、①や②はまったく読まなくても問題ないのだ。

もちろん、②の理由やデータなどは、結論の内容を腹落ちさせるために有益であったり、行動のモチベーションになったりするという意味では読む価値がある。

しかし、結論の裏づけとなるデータの細かい数値などは正確に頭にインプットするほど価値のある内容とはいえない。

受験勉強でも役に立つ、この読み方

このように「文章の構造」を理解してインプットのスピードを高める方法は、私が司法試験の受験勉強をしていた際に生み出した手法だ。

すでに述べたように、司法試験の論文試験では、A4用紙約4ページにわたる論文を記述する必要があり、そのためには膨大な量の模範答案をインプットする必要があった。

膨大な模範答案を読み込んでいるうちに、どんなに複雑そうな答案であっても、文章の構造は8割以上が同じであることに気がついた。

模範答案は法律文章であり、法律文章には、①問題提起、②理由づけ、③規範定立、④あてはめ、という普遍的な定型があるのだ。

一般の人にはあまり関係がないので内容について詳しく説明はしないが、これに気がついてから、一つの模範答案を読み込むスピードが格段に速くなった。**体感的には、10倍くらい速くなった**気がする。

司法試験に合格する直前には、模範答案を見るだけで、一瞬のうちに頭の中で文章がこの四つに色分けされて見えるようにまでなった。

これを、ビジネス書などの実用書にも応用してみたところ、同じようにインプットのスピードを上げることができることに気がついたのだ。

本を読む際には、ぜひ「文章の構造」を意識してみてほしい。

最初はなかなかわからないかもしれない。

しかし、数をこなすうちに必ず理解できるようになる。

そのためには「この部分は、文章構造のどこにあたるか」——。

これを考えながら読むようにすることが必要なのだ。

INPUT 05

ここは迷わず飛ばし読みをせよ！

読書のインプットスピードを上げるには、「飛ばし読み」を駆使するのが有効だ。

これらの「飛ばし読み」をする部分は、大きく分けて二つある。

①すでに知っている部分

まず一つ目は、自分が「すでに知っている部分」。自分にとってはすでに常識となっている知識であったり、ほかの書籍と同じ内容が書いてあったりする部分は読む必要はない。また、文章の構造上不必要な問題提起にあたる部分や理由づけに関する部分も、飛ばし読みをしても問題のない部分だ。

②難解な部分

一見すると「難解」な部分こそ、自分にとって価値のある内容だと思われるかもしれない。しかし、私の経験上、本を読んでいて難しいと感じる部分は、そのほとんどが読まなくてもいい内容だ。

なぜなら、読んでいて難しいと感じるのであれば、その内容はいまの自分のレベルには合っていない内容だからだ。たとえていうと、幼稚園児が素因数分解について勉強するのと同じようなもの。時間をかけて勉強しても理解できないし意味がないので、勉強するだけ時間の無駄だ。

もしかしたら、時間をかけて読み込んでいけば少しは読み解くことができるかもしれないが、コスパが悪すぎる。読むのにかかる時間は長いのに、学べることは極めて少ないのだ。

それだけの時間があれば、もっとレベルを下げたほうが短時間でたくさんのことを学べるだろう。

また、難解な内容は、実践・実行することが難しいという意味でもコスパが悪い。読書は読むことに価値があるのではなく、実践・実行することに意味があるということはすでに述べたとおりだ。

ここは「読まない」

内容が簡単であっても、その内容をしっかりと実践・実行に移すことは難しいもの。それが難解であれば、実践・実行するのはより難しいだろう。

人は、自分が心から理解し同感できた内容についてしか実践・実行に移すことはできない。難解で理解しにくい内容を実践・実行するのはとても難しいことなのだ。

そのような難解な部分はどんどん読み飛ばしてほしい。**本全体が難しい部分だらけだとしたら、その本自体を読まなくてもかまわない。**

難解かどうかというのは、当然だが自分にとって難解かどうか、で判断する。他人にとっては簡単でわかりやすい内容でも、自分にとって難解であれば堂々と読み飛ばしていいのだ。

これについては私自身にも経験がある。

『U理論』という本がある。社会や組織のあり方を根本から見直す画期的な本、として多くの著名人が絶賛していた。ビジネス書の大家といわれるような人もすばらしい本だと褒めたたえていた。

「これはぜひ読まなければ」と思い、私も読んでみたが、内容が難解すぎてほとんど理解することができない。ただでさえ抽象的なテーマであり、それに加えて約600ページという分量があり、ほとんど読み進めることができなかった。

しかし、その当時は、本を読み飛ばしたり、斜め読みしたりしていいという意識がなかったし、著名人が絶賛しているのだからちゃんと読むべきだ、読めない自分が悪いと思い込んでいた。

だが、あるとき、これ以上この本を読み続けても時間の無駄、人生の無駄だと開き直った(あくまでも「私にとって」ということ)。理解できる本でさえそれを実践・実行するのは大変なのに、この本を読んでそれができるとは到底思えない、と心の底から理解したのだ。

私たちの人生は、時間そのものだ。どんなに偉い人がすすめている本であっても、理解できない、実践・実行できない本を読んでいるような時間はない。

躊躇することなく、難解な部分については読み飛ばすようにしてほしい。

INPUT 06

東大生はなぜベストセラーを読まないのか？

読書術やインプット論を語るときによく話題になる問題に、**ベストセラーとなった本は読むべきかどうか**、というものがある。

論者によってさまざまな考え方があり、どれが正解というものはない。しかし、私としては、たとえベストセラーとなった本であっても、それだけを理由にして読むべきではないと考えている。

なぜなら、**ベストセラー本だからとりあえず読んでおくという考え方が、無駄な読書の典型である「べき」で読むというインプットそのもの**だからだ。

この本から何を学ぶのか、なぜ人生の貴重な時間を費やしてこの本を読むのか、という考えなしにする読書は、無駄なインプットになる危険性が高いのである。

前項で例として挙げた『U理論』だが、これも著名人の間ではちょっとしたベストセラー本になっており、私も当時は「ベストセラーの本なのだから読むべきだ」と考えて読みはじめた。

しかし、内容が難解で得られるものも少なく、時間だけをいたずらに費やしてしまったのはすでに述べたとおりだ。

「ベストセラーだから読むべき」という理由で読書をすると、その本が難しくて読み切れなかったとき、自己嫌悪に陥ったり読書が嫌いになってしまったりという弊害もある。

私が『U理論』に挫折したときには、「なぜ著名人が絶賛するこの本のよさが自分にはわからないのだろうか、自分は何か間違っているのではないか」とか、「なぜこんなに理解できないのだろうか、自分は能力的に劣っているのか」などと考えるようになり、このままでは読書が嫌いになってしまう、とさえ感じるようになった。

このようにベストセラーだから読む、という理由で本を読むのはさまざまな弊害を生む危険性があるのだ。

『東大生の本の「使い方」』が教えてくれること

東京大学生協の元書籍部主任が書いた『東大生の本の「使い方」』（重松理恵／三笠書

ベストセラーの読破にこだわるな

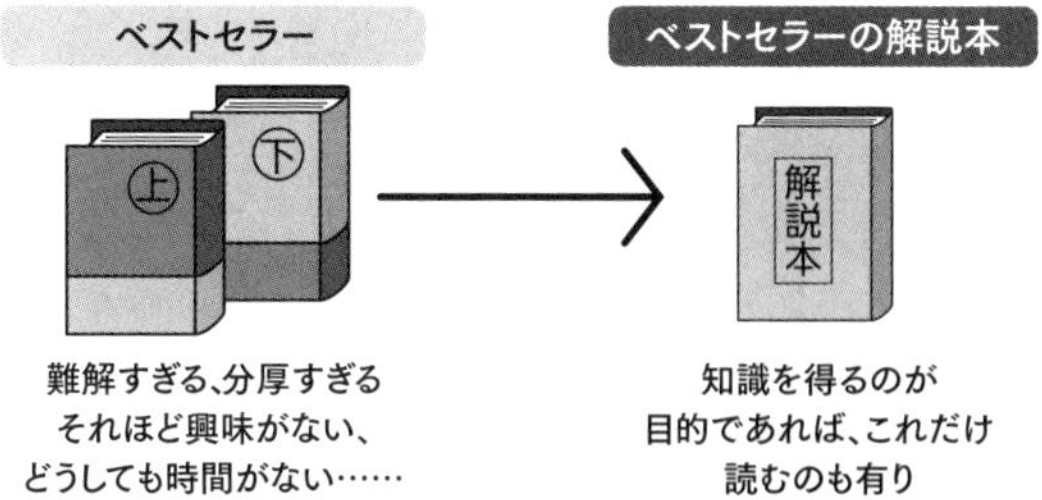
ベストセラー
ベストセラーの解説本
上
下
解説本
難解すぎる、分厚すぎる
それほど興味がない、
どうしても時間がない……
知識を得るのが
目的であれば、これだけ
読むのも有り

房）という本によれば、東大生協の書籍売り場では、ベストセラー書の需要が少ないそうだ。

これは、賢い東大生たちが「ベストセラーだから読むべき」という理由で読む本を選んでいないことを意味している。彼らは、自分の頭で考えて、自分にとって必要な本を選び、読んでいるのだ。この事実からも、「ベストセラーだから読むべき」という考えが間違っていることがわかる。

ここで「ベストセラーを読まないというと、世間の話題やみんなが知っている知識についていくことができず、不利になるのではないか」という疑問が出てくるかもしれない。だが、周りの人が知っている知識を取りこぼさないようにすることは、ベストセラー本を読まなくても、ほかの方法でカバーできる。

その方法の一つは、**ベストセラー本の内容を簡単に解説している本や漫画、雑誌の記事などを読むこと**

だ。

そういった解説本は、手っ取り早くその本のポイントを誰にでもわかるように説明してくれているので、本を読む時間や、難解な内容を読み解く労力を省いてくれる。

たとえば、私が実際にそういった解説本を利用したのは、数年前にベストセラーとなったトマ・ピケティの『21世紀の資本』(山形浩生・守岡桜・森本正史訳/みすず書房)だ。海外経済書の翻訳本で、総ページ数は700ページ以上、資本と格差の変化についてという内容など多くの人にとってハードルが高いにもかかわらず、15万部以上売れた本だ。

私も読もうとして取り組んでみたが、どうしても読み進めることができなかった。どうしたものかと考えていたところ、私が定期購読していた経済誌が特集として『21世紀の資本』を取り上げていた。

その特集は、『21世紀の資本』を読んだことのない人でもその内容が理解できるように、図やイラストを使ってわかりやすく解説していた。

私はその雑誌の特集を30分ほどかけて読み、すんなりと内容を理解することができた。

ベストセラー本そのものを読まなくても、そこに書かれた「知識」を知ることは、ほかの方法でいくらでもできるのだ。

INPUT 07

インプットの「穴」をなくすリアル書店の使い方

インプットをする上で致命傷となる「穴」をなくすことの重要性は、すでに述べたとおりだ。このインプットの穴をなくすために効果的な方法がある。

それは、**「リアル書店」を使う**ことだ。

アマゾンなどのネット上の書店ではなく、リアル書店であることに意味がある。リアル書店の中でも、ジュンク堂や紀伊國屋書店といった大規模書店であることが望ましい。

こういった**大規模な書店で、自分がインプットしておくべき知識が書かれた本が置いてある棚を隅々までチェックすることで、インプットの穴をなくすことができる。**

たとえば、自分がインプットしておくべき知識が「マーケティング」の知識だったとしよう。

その場合、「マーケティング」の棚にある本の表紙とタイトルをすべてチェックす

る。**可能なら本を手に取って目次をチェックする。**

そうすると、自分がまったく知らない知識が書かれたマーケティングの本が見つかることがある。

それがインプットの穴になっている部分だ。すぐにその本を購入して読み、インプットの穴を埋めるべきだ。

書籍というのは、口コミやネットの書き込みなどと違って、商品となるまでにそれなりの時間をかけ、内容の価値や信用性を十分チェックした上で刊行されている。

したがって、その中身の知識は、ある程度の価値があり、また一般的に知られているということを意味する。その分野の仕事をする上で、知っておくべき知識なのだ。

それを落としていると、ビジネス相手からの信頼を失う致命傷になりかねない。

リアル書店をうまく活用することで、そうしたミスを防ぐことができるのである。

書店の棚を「目次」のように活用する

本書で、インプットの穴をなくすために「目次」を活用することが有効だと書いたが、この場合、**書店の棚そのものが目次のような役割を果たしてくれる**のである。

こんな「書店の使い方」もある

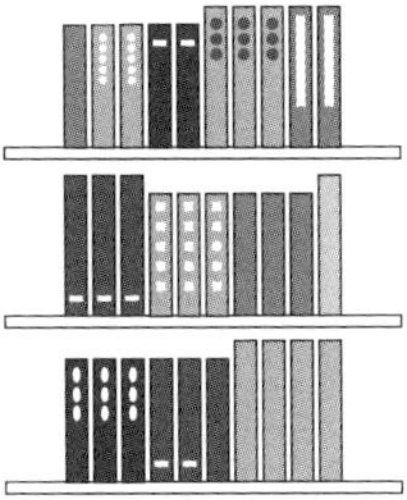

なるべく大きな書店に行く

↓

興味・関心のあるテーマの棚の表紙や背表紙（タイトル）だけでもいいので隅々まで見てみる

↓

「これだけは知っておくべき知識・情報」のインデックスとして書店の棚を活用する

こうした書店の使い方は、ネット書店では難しい。

アマゾンなどのネット書店では、利用者の購入履歴をもとに似た内容の本が「おすすめ」されるため、購入する本に偏りが生じてしまうからだ。

リアル書店であれば、目的の本が置いてある棚だけでなく、その少し周辺の棚もチェックすることで、さらに有益なインプットが可能である。

たとえば、マーケティングの棚の近くには「営業」というジャンルの棚があることが多いだろう。

どちらも企業が売上をあげるためには必要不可欠な要素であるという点で共通しており、そこで目についた書籍を読んでインプットすれば、ビジネスに役立たせることができるだろう。

リアル書店には、このようなインプットの質を向上させる利用法があるのだ。

INPUT 08

読みたい本だけ読めばいい——これだけの理由

読書というインプットをする上で知っておいてほしいことに、

「読書を嫌いになってはいけない」

そして、

「読書を嫌いになるような本の読み方をしてはいけない」

というものがある。

なぜかというと、読書が嫌いになってしまうと自然と読書をしなくなり、結果的に読書によるインプットの量が減り、質も悪くなっていくからだ。

逆に、読書自体が好きであれば、自然と読書によるインプットの量は増え、質も向上していく。

なぜ、このことに言及するかというと、多くの人が、読書嫌いになるような本の読み方をしているからだ。

たとえば、

- **興味のない本を読んでいる**
- **難しくてよくわからない本を読んでいる**
- **つまらないが買ってしまったので、もったいないから読んでいる**
- **誰かにすすめられたから我慢して全部読んでいる**

こういった本の読み方をしている人は少なくない。

日本人の気質なのかもしれないが、苦しいことに耐えるといいことがある、という誤った信念を持っていて、読書でも同じように「苦しい読書をすればいい結果が得られる」と信じ込んでいるのだ。

しかし、このような苦しい読書をしていては、いい結果は得られない。

そもそもイヤイヤながら読んでいては、本の内容をきちんとインプットする、しかもその情報や知識を自分の血肉にするレベルでインプットすることなど到底できないだろう。

そして何よりも最悪なのが、このような読書を続けていると「読書=苦しみ」という考え方に変わってしまい、読書が嫌いになり読書の「量」が減ってしまうようになることだ。

量が減れば、質も必ず下がる。

どんな速読術やすぐれた読書術を身につけたところで、本を読まなければなんの意味もない。

読書を嫌いにならないようにするためにすべきことはたった一つ、「心から読みたいと思った本だけを読むこと」だ。

興味がない。

難しくてわからない。

買ったから読まないと。

誰かにすすめられたから。

……こういった理由で本を読むのをやめることだ。

好きな本だけを読んでいても知識が偏ることはない

こんな「読み方」をしてはいけない

- ◉ 興味のない本を読んでいる
- ◉ 難しくてよくわからない本を読んでいる
- ◉ つまらないが買ってしまったのでもったいないから読んでいる
- ◉ 誰かにすすめられたから我慢して全部読んでいる

この点について、コメンテーターとしてテレビなどでも活躍している弁護士の山口真由さんも、前出の『東大生の本の「使い方」』という書籍の中で、

「読書を楽しいと感じられるかそうでないかは、人生においてかなり重要なファクターになってきます。そういう意味でも、ファッションとしての読書ではなく、本当に読みたい本を読むことがすごく大事なのだと思います」

と語っている。

東京大学在学中に司法試験に合格、そして東大を首席で卒業し、官僚となったあとに弁護士やコメンテーターとして大活躍、という山口さんの華麗な経歴を見れば、その言葉が真実であるとわかるだろう。

だが、ここで、「好きな本だけを読んでいると、インプットする知識が偏ってしまうのではないか」という不安を感じるかもしれない。

しかし、そのような不安を感じる必要はない。

なぜかというと、べつに意識しなくても、**そのとき自分が読みたいと思う本は、自然とそのときの自分にとって必要な知識がインプットできる本**となっているからだ。

これは、人間が本能的に身につけている能力だと私は思う。

よくいわれることだが、人が特定の食べ物を食べたい、と思ったときには、実際にその食べ物に含まれる栄養素が体内に不足しており、それを補うために本能的にその食べ物を求めるのだ、と説明されることがある。

本の知識のインプットについても同じだ。

人は本能的に、自分がいま必要としている知識を知っており、その知識が学べる本を「読みたい」と感じるのである。

したがって、「好きな本だけを読むとインプットする知識が偏る」という心配はする必要がない。もし、「インプットする知識が偏っているな」と本能的に感じたら、自然と偏りを修正するような内容の本が読みたくなるのだ。

とにかく、読書を嫌いになるような本の読み方は絶対にしてはいけない。

そして、自分の本能を信じ、読みたい本だけを積極的に読んでいく。

そうすれば、インプットの量と質は必ず向上する。

INPUT 09

オーディオブックを「ながら」インプットする法

効率的なインプットをするために常に考えてほしいことがある。

それは、

「『ながら』インプットができないか」

ということだ。

「ながら」インプットというのは、日常生活でする行動と同時に行なうインプットのことだ。

たとえば、電車通勤中に車内で本を読む、というのが典型例である。移動という日常生活でする行動と同時に読書というインプットをする。

「ながら」インプットができると、インプットのためにあらためて時間を確保することなくインプットが可能となる。インプットに費やす時間がそれだけ増えるわけだから、単純にインプットの量が増加する。

「ながら」インプット中にする日常生活の行動は、必ずしなければいけないことだから、それをこなしつつインプットもできるというのはまさに一石二鳥だ。

ここで、「ながら」インプットに対して抵抗を感じる人もいるかもしれない。というのも私たちは、子どものころから「ながら」で行動するのはよくないと親や学校の先生から教えられてきているからだ。

たとえば、私もそうだが、食事をしながらテレビを見ることを禁止されていたという家庭は多いだろう。

たしかに、子どもの教育という観点からすると、基本的な日常生活のルールやマナーを身につけなければいけないという意味で、「ながら」行為を禁止することに意味はある。

また、「ながら」行為を行なうことで注意力が散漫になり日常生活に支障をきたすような場合には「ながら」インプットをすべきでないのは当然だ（たとえば、車の運転中に動画を見るような行為）。

しかし、基本的な日常生活のルールやマナーが身についた上であれば、「ながら」行為をしたとしてもとくに支障はない場合は多くある。

むしろ、「ながら」インプットをすることで、メリットを得られる場面が多い。一律に「ながら」行為を禁止することは合理的ではないのだ。

なによりも大切なことは、「ながら」行為をしてもいいのか悪いのかをしっかりと自分の頭で考えて判断することである。

「親から『ながら』はダメだといわれているから」といって、すべての「ながら」行為を否定することは思考停止にほかならない。われわれは大人なのだから、何がいいか悪いかは自分で判断することができるし、そうすべきだ。

「ながら」インプットのメリットを理解した上で、どんなときに「ながら」インプットができるのか、そしてその「ながら」インプットに不都合はないのかを自分で考えて実践してほしい。

移動中、運動中、入浴中……「ながら」インプットできる場面は意外と多い

私自身も「ながら」インプットはいろいろと実践しているが、「ながら」インプットは、あまり頭を使わずに体を中心に動かす日常生活の行動と相性がいい。

私は週に3回ほどジムのランニングマシーンで30分くらい走るが、このときイヤホン

を身につけて、オーディオブックという耳で聴く本を流している。

これは、ランニングマシーンを利用するからこそできることだ。同じランニングでも、自宅の周囲を走る場合、耳が塞がれていると自動車や他人などの接近する音に気づくことができず危険だ。

ランニングをはじめようと思ったときに、「ながら」インプットができるランニングマシーンのメリットに気がつき、自宅周辺ではなくジムで走ることに決めた。

あとは、**部屋の整理や掃除など、ちょっとした家事をするときにも、ポッドキャストやオーディオブックを聴いている。**

その際には、首にかけるタイプのウェアラブルスピーカーを利用する。

イヤホンと違ってウェアラブルスピーカーは、周囲の音を遮断しないため家族の声やインターフォンの音も拾うことができる。また、ブルートゥースで無線接続できるため、コードにわずらわされないのも利点だ。

そのほかにも、**入浴中、電車・バス・自動車での移動中など、探してみると「ながら」インプットができる機会は意外と多く存在している。**

常に「ながら」インプットできるチャンスはないか——という意識を持つ。

そして日常生活を見直し、「ながら」インプットを積極的に実践してもらいたい。

INPUT 10

極論すれば、本を読まなくても成功はできる

これまで読書のインプット術について詳しく紹介し、また読書の有用性などについても語ってきた。

それなのに、なぜいまさらそんなことをいうのか――と思われるかもしれないが、極論すると、

「本を読まなくても成功することはできる」

のだ。

なぜか。

読書は過去のさまざまな成功事例を学ぶことができ、また成功者のマインドを知ることができるので成功するためにはとても役に立つが、成功するための必須条件というわけではないからだ。

したがって、本からのインプットがなくても成功することは可能だし、生きていく上でべつに支障はない。読書はあくまで知識、情報をインプットする方法のうちの一つにすぎないのだ。

実際、有名人や成功者の中にも、数は少ないながらも読書などしなくても成功し、偉大な功績を残した人はいる。

たとえば、松下幸之助や本田宗一郎は「耳学問」の人であった。

また、私が会ったことのある有名な経営者の方は、「本なんか読んでも意味がない」と断言し、私が自著をプレゼントしようとしたところ、「せっかくだけど読まないからいらない」と断られてしまった。しかし、その方の実績は誰が見ても文句のつけようがないほど偉大なものだった。

司法試験の受験においても、基本書と呼ばれる法律学の教科書というべき本を読まずに合格する受験生がいた。

多くの受験生は基本書を読んでいたが、受験予備校が実施する授業やそこで使われるテキストからも同じ知識を手に入れることはできるのだ。

こうしたことからも、本を読むことは、知識や情報をインプットするための一つの手段にすぎないということがよくわかると思う。

本が〝積ん読〟状態の人たちへ――

私がこのようにわざわざ「読書は成功のために絶対必要なわけではない」と書いた理由は、本を読まなければいけないという強迫観念を捨ててもらいたいからだ。

「成功のためには必ず読書が必要だ」「だから、なんとしてでも本を読まなければならない」という強迫観念を持つことは、無駄なインプットにつながる。また読書が嫌いになることにもつながる。

「読むべきだ」という「べき」による読書になったり、「つまらない本でも成功するためには我慢して読まなければいけない」という気持ちになったり、読書が嫌いになってしまったりする危険性があるのだ。

「本はインプットの一手段」

そう軽く考えることができれば、必要ない部分は読み飛ばす、とか、面白くない本は途中でも読むのをやめる、という行動が格段に取りやすくなり、これまで紹介した読書のインプット効率、インプット効果を上げることにつながる。

私自身、「べつに本を読まなくても成功することはできる」ということに心から納得

できて以降、読書によるインプット効率がかなり向上した。斜め読みや読み飛ばしに対しての心理的な抵抗がなくなったからだ。

また、買った本であっても読まなくていいという選択をすることができるようになり、本をさっさと処分することができるようになった。

そして、〝積ん読〟の状態の本が激減したのである。

いま現在、積ん読状態の本がたくさんあり本が捨てられないというような人は、「本を読まなければ成功できない」という固定観念が邪魔をしているのかもしれない。

ぜひとも「本を読まなければ成功できない」という固定観念を捨てて、読書によるインプット効率を上げるようにしてほしい。

INPUT 01

まず「仮説」を立てる——仕事のインプットの基本

ここからは、**仕事の場面におけるインプットの実践法**について紹介していく。
最初に押さえておいてほしいこと。それは、
「インプットの前に、何をインプットするかの『仮説』を立てる」
ということだ。
仕事に関するインプットは、その種類や量が膨大にある。
たとえば、自社商品の情報、他社商品の情報などの基本的な事項から、業界全体の動

向、競合他社の動向、取引先の経営状態……といったものを、なんの考えもなく漫然とインプットしていたのでは、あまりに効率がよくない。本当に必要な情報をインプットすることができずにビジネスチャンスを逃してしまう危険性がある。

そこで必要なのが仮説を立てることだ。

これから取り組む仕事においてどんな情報をインプットすべきかを考え、優先順位をつけて効率的にインプットしていく。

たとえば、個人を相手にする自動車販売の営業職について考えてみよう。仕事に関連してインプットすべき情報としては、自社自動車の仕様や価格から、自動車ローンの審査状況、ローンの金利動向など、たくさんある。

しかしながら、これらの情報を漫然とインプットしていたのでは、効率がよいとはいえない。すべての情報を頭に入れるのは、とても時間がかかるし、その情報が成果に結びつくとは限らないからだ。

そこで、これから商談を進める具体的な顧客を頭に思い浮かべ、その顧客との関係でどのような情報をインプットすれば自動車の販売に結びつくのかを考える。

たとえば、自動車の技術に関する知識にやたら詳しくて、自動車の性能をしっかりと知った上で車を買う傾向のお客さんであれば、なによりも自動車の性能について詳しく

「仮説」がインプットの質を高める

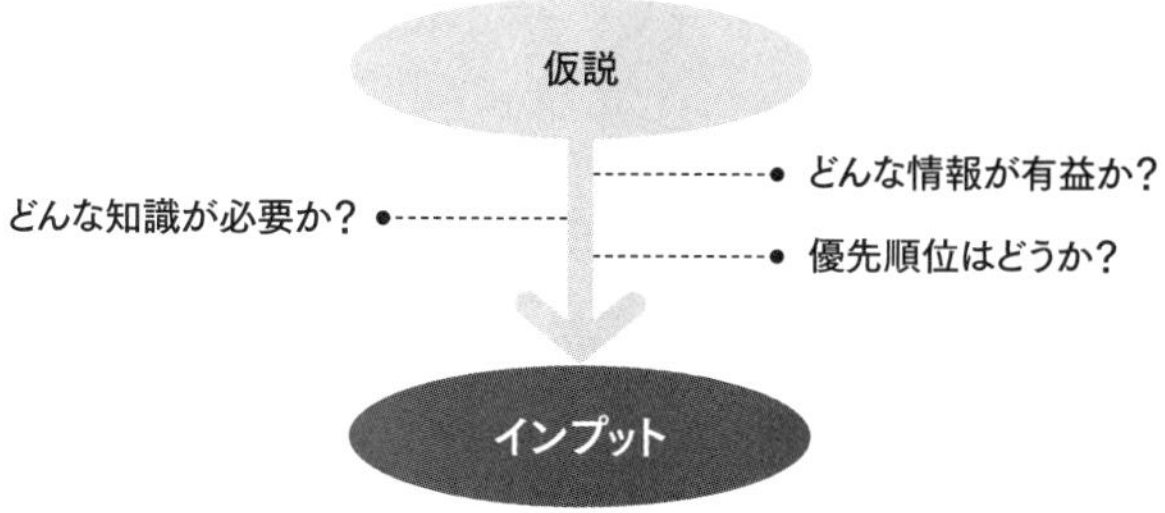

インプットしておくべきだろう。

したがって、ローン金利の動向に関する細かなインプットは必要ないかもしれない。

逆に、車の性能には興味がない人もいる。とにかく走りさえすればよく、購入価格については1円単位でも安くしたい、というお客さんもいるだろう。

そういったお客さんに対しては、自動車税の減税についての情報や、明確な値引き額についての情報が、効果的なインプットということになるだろう。

このように、ビジネスのインプットにおいては、「こういった情報が必要になるはずだ」というようにインプットすべき情報の「仮説」を立てて、その情報を優先的に、集中的にインプットしていくことが必要になるのだ。

仮説を立ててインプットした、私の成功例

私自身、弁護士業務を進めていく上で仮説を立てながら情報のインプットをしている。

ある案件では、施設長の立場にいた従業員を会社が降格させたところ、その施設長が降格処分を不当であるとして労働組合に駆け込み、私が会社側の代理人として施設長を含む労働組合員と団体交渉をすることになった。

会社の担当者と準備を進めていくのだが、団体交渉の場ではその場で相手の意見に反論し、いかにその施設長に対する降格処分が妥当であるかを説き伏せる必要がある。そのために必要な情報は、頭にきちんとインプットし即座に相手にいえるようにしておかなければならない。

施設長の降格処分に関連する情報は膨大にあり、すでに日程が決められた団体交渉の日までにそのすべてをまんべんなく頭にインプットすることは困難であった。

そこで、会社の担当者から、その施設長の普段の言動やこれまでの経歴を聞き出し、団体交渉において会社にどのような不満や質問をぶつけてくるのかを仮説を立てて想定

した。そしてその回答として必要な情報を優先的にインプットしていったのだ。

そのうちの一つは、「施設長のこれまでの仕事の実績」だったので、これに関する過去の資料を会社担当者に用意してもらい、数字を含めて徹底的にインプットして団体交渉に臨んだ。

団体交渉では想定したとおり、施設長から過去の実績についての質問が会社側にあった。

これに対して、事前にインプットしたとおり具体的な数字をふまえて回答したところ、最終的には施設長からの降格処分への不服は取り下げられた。

おそらく施設長側としては、会社側がきちんと施設長の過去の実績を把握していたことがわかり、それでも降格するのであればやむをえない、という考えになったのだと思う。まさに仮説を前提にした効率的なインプットが仕事の成果につながった例といえるだろう。

「仮説」を持って優先的なインプットを行なうことは、仕事を成功させるために必要不可欠なことなのだ。

INPUT 02

できる人の「超」一点突破インプット術

仕事において、さまざまなジャンルに精通していると他人から思われることは、大きなビジネスチャンスにつながる。

たとえば、営業職として仕事をしている人が、上司から「こいつは法律に詳しい」という印象を持たれた場合、人事部に異動して出世したり、取引先から「この人はマーケティングに詳しい」と思われた場合、コンサルティングを依頼されたりするかもしれない。

もっとも、自分が普段から担当している仕事以外の分野について精通するというのは簡単なことではない。たくさんの知識をインプットしたり、経験を積んだりするなどの労力がいるからだ。

そこで、**少ないインプットの労力にもかかわらず、他人に「この人はこの分野に精通**

している」と思わせることができる裏技的なインプット術を紹介したい。

このインプット術は、すでに引退しているが現役当時はタレントとしてトップの地位にいた芸人の島田紳助さんが紹介していたものだ。

紳助さんが過去に若手芸人向けに講義のようなことをした際に、「教えたくなかった、極秘のトリック」と前振りをして話していた内容である。

紳助さんといえば、話が面白いだけではなく、いろいろなジャンルに精通している物知りで、どんな場面でも臨機応変に的確なコメントができる頭のいい人というイメージがあるが、そのイメージをつくり出したのがこのインプット術だ。

その方法とは、

「さまざまなジャンルにおいて、そのうちの一つのマイナーな事例に関する知識だけを徹底的に深掘りしてインプットする」

というものだ。

たとえば、野球というジャンルに詳しいという印象を他人から持ってもらうためには、あまり有名すぎない一人の選手についてだけ、その経歴や半生などについての情報、知識を徹底的に詳しくインプットする。

そして野球の話になったときに、その情報、知識を披露する。すると、その話を聞いた人は、「そんなマイナーな選手について、そこまで知っているなんて、よほどの野球マニアに違いない」と勝手に思い込んでくれるのだ。

紳助さんは、じつは野球にそれほど興味はなかったそうだ。

しかし、このテクニックを使って、多くの人から「この人は野球に詳しい」という印象を持たれることに成功し、「プロ野球　珍プレー好プレー大賞」の解説を10年以上務めたり、報道番組で野球についてコメントしたりしていたというから、すごい。

「一点突破力」で「ハロー効果」を起こす

この紳助さんのインプット術が効果的なことは、心理学の法則の一つである**「ハロー効果」**によっても説明ができる。

ハロー効果というのは、ようするに目立って評価の高い特徴があると、その人全体が高く評価されることを意味する。たとえば、高身長で顔がキリッとハンサムなビジネスパーソンは、なんとなく頭がよくて仕事もできるような印象を受ける、というものだ。

それと同じように、特定のジャンルの一点だけ深い知識があることを披露すると、そのジャンルすべてについて詳しい人、という印象を受けるのだ。

「一点突破」インプットの効果

マイナー知識
だけを
徹底的に深掘り
してインプット
ハロー効果
・この人は詳しい
・この人は専門家だ
・この人に任せよう

これについて、私自身、司法試験のときにその効果を実感したことがある。

司法試験の最終試験は口述試験と呼ばれる面接式の試験になっている。

これはホテルの一室のような場所で面接官二、三人からの質問に対し、一人で口頭で答えるという試験で、とても緊張するものであった。

憲法の口述試験の際だが、私は途中まで緊張のあまりうまく答えることができなかった。試験官も首をひねり、難しい顔をしている。まずい、このままでは落ちるかもしれない……と思っていたところ、ある問題について試験官から質問があった。

その問題は、憲法の問題としてはかなりマイナーな事件に関するものだったのだが、私はその事件を題材にした本を試験の少し前に読んでいたのだ。

そのため、スラスラとその事件について答えることができた。

すると、試験官の顔がみるみるうちに明るくなり、頻繁にうなずきながら聞いてくれた。結果的に雰囲気のよいまま試験を終えることができ、結果はもちろん合格となった。

思うに、その質問はかなりマイナーな事件についてだったので、スラスラと答えられる受験生は少なかったのだろう。

それなのに私がしっかりと答えることができたので、試験官は「こんな事件をここまで知っているなんて、この受験生は憲法についてよく勉強している」という印象を持ってくれたのだと思う。


さまざまなジャンルにおいてすべてを深くインプットするのは大変だ。

しかし、「一つのことだけ」ならそこまで労力はいらない。

ぜひ「一点突破」インプット術を駆使して、ビジネスに役立ててみてほしい。

INPUT 03

新しいスキルを血肉にする私の方法

ビジネス書を読んだり、研修を受けたりすると、自分の仕事に活かしたいと思うスキルに出合うことがある。そんなとき、どのような方法でそのスキルを自分の血肉になるようインプットすればいいのか？

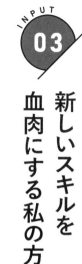

私がおすすめするのは、

「そのスキルのポイントを要約して書き出し、毎日眺める」

という方法だ。

たとえば、「メールは、1日1回午前10時だけチェックする」「メールの返信はその場ですべてすませる」などなど、実践したいことを短い言葉にまとめて、それを書き出すのだ。

書き出すのはなんでもかまわない。手帳の1ページでもいいし、ノートでも単語帳のようなものでも問題ない。

ただし、スマホにメモしておくのはあまりおすすめしない。デジタルデータにしてしまうと、インプットする際の情報が単なる「テキスト」だけになってしまうため記憶に強く結びつきにくいからだ。

ポイントは、**それを「毎日眺める」**という点である。

なぜなら記憶というのは、毎日の繰り返しによってつくられるからだ。毎日眺めることで、その内容に接触する頻度を徹底的に増やし、記憶するのだ。

なぜ、そのレベルまでインプットする必要があるかというと、**忙しいビジネスシーンがこれまで習慣となっていないスキルを実践するためには、「鬼」レベルで記憶する必要がある**からだ。**ただ書き出すくらいのレベルではぬるい。**いざそのスキルが役立つ場面になっても、実践することはできないだろう。

絶対身につけたい知識は、バカみたいに「毎日、眺める」

私自身、この方法を実践している。弁護士になりたてのころは、事件の依頼を受けて相手方とどのように交渉すればいいのかがよくわからなかった。

これをひたすら繰り返して、知識を血肉とせよ

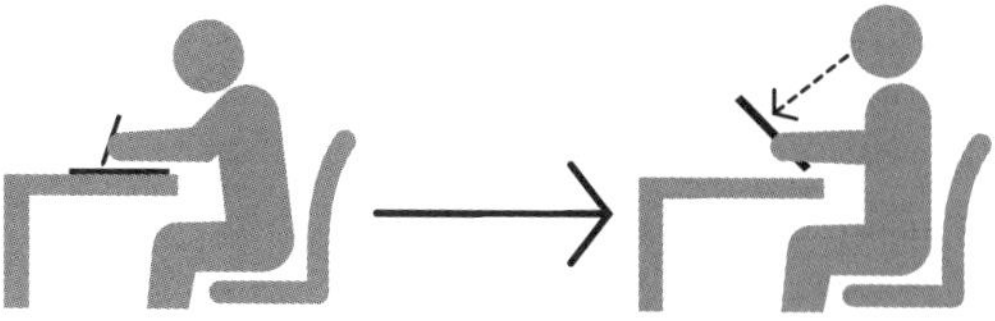
身につけたい知識を
「書き出す」
身につけたい知識を
「毎日、眺める」

そこで、交渉術に関するビジネス書をたくさん読みあさった。

しかしそういった本をたくさん読んでも、なかなか交渉が上手にならない。

なぜなのかと考えた結果、**交渉術の知識を「知っている」だけでは血肉とはならない。すなわち記憶のレベルまでの徹底した「超」インプットができていない。**そう気づいたのだ。

記憶するためには、「毎日その知識に接触する」ことがポイントとなる、ということは司法試験の勉強中にわかっていた。

そこで、本に付箋やアンダーラインをつけて、そこを毎日眺めるようにしたが、毎日眺めるべき本の数がとても多くなってしまい、本をとっかえひっかえする労力が無駄だと感じるようになったので、それぞれの箇所のポイントを要約して書き出した。

当時は、システム手帳を使っていたので、それらをルーズリーフに書き込み、手帳に挟み込んでいった。

そして、移動時間や裁判の待機時間などに繰り返し繰り返し眺めるようにした。

毎日毎日見ることで、その内容が頭にすり込まれ、記憶され、その結果、だんだんとその内容を実践できるようになり、本の知識が自分の血肉となっていくのが実感できた。

たとえば、**当時、書き出して毎日眺めていた交渉術（スキル）の一つに、「信頼関係を築くためには相手の名前を意識的に何度も呼べ」というものがあった。**

その言葉を眺めているうち、実際の交渉中、相手と話している際に自然とその内容が頭に浮かんでくるようになり、実践できるようになったのだ。

このように、スキルを効率的、効果的にインプットする方法として「書き出した要約を毎日眺める」という方法は、地道だがシンプルでとても効果的だ。

実践すれば、それが必ずわかる。

INPUT 04

相手からの好感を引き出す強力なテクニック

ビジネスを進めていく上で、ぜひとも実践してほしいインプットがある。

小さな労力で大きな成果を得ることができる、おすすめのインプットだ。

それは、

「ビジネス相手の情報をインプットする」

という方法である。

たとえば、商談する会社の担当者とこれから会うというとき、相手の会社の情報だけでなく、担当者のパーソナルな情報をインプットするのだ。

周囲の人から情報を得られるのであれば出身地、出身大学、趣味・嗜好……を聞いてみる。相手がＳＮＳをやっていたら、その投稿内容やプロフィールなどを読み込んでおくのだ。

これはそれほど手間がかからず、簡単にできることなのに、実践している人はなぜか少ない。

このようなインプットをしておくと、実際に会ったときに話のネタとして使うことができる。それだけで、商談が盛り上がるだろう。

そしてできることならば、自分と共通する要素を見つけ、その情報をインプットしておくといい。

そうしてたとえば、商談相手が釣りが好きなことがわかり、自身も釣りが好きであれば、そのことを会ったときにさりげなく話題に出すのだ。

こうすることで、その商談相手との信頼関係を築きやすくなる。なぜなら、人は自分と共通する要素を持っている相手に好感を抱きやすく、好感を抱いた相手には信頼感を持つようになるからだ。心理学でいう**「同調効果」「同調現象」**である。

たとえば、自分と出身地や母校が同じであると、それだけで相手を身近に感じるということはよくある。

いうまでもなく、ビジネスにおいて相手と信頼関係があることは、有利になる。人が何かを買うときも、商品やサービスの内容だけでなく、それを売る人が信頼できる人かどうかを重視するものだ。

相手のことをできるだけよく知る

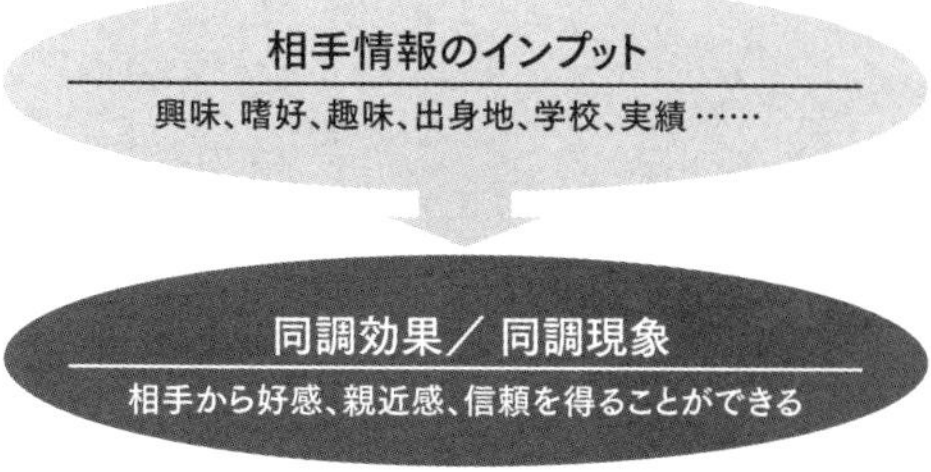
相手情報のインプット
興味、嗜好、趣味、出身地、学校、実績……
同調効果／同調現象
相手から好感、親近感、信頼を得ることができる

相手の情報をインプットする手間や労力は、たいしたものではない。少しばかり時間を使って人に聞いてみる。ネット検索をしてみる――。

その程度の労力で大きなビジネスがまとまるかもしれないのだ。**これほどコスパにすぐれた、〝おいしい〟インプットはない。**

私がまんまと一杯くわされた話

私自身、相手の情報をインプットし、それを使って信頼を得る方法が強力なテクニックであることを痛感させられた経験がある。

これは、失敗談なので少し恥ずかしいのだが、相手情報のインプットがいかに効果的かを示すいい例になるので紹介しよう。

ある依頼者A氏から相談があった。

そのA氏とはそれまで面識がなかった。

依頼内容は、守秘義務の関係もあり詳しくはいえないが、A氏は、私より20歳近く年上であった。

A氏は案件について相談しつつ、自分が過去に大学でアメリカンフットボールの選手であったことを話しはじめた。

じつは、私も高校・大学、そして社会人になってからもアメリカンフットボールをやっていたのだ。

アメリカンフットボールはマイナーなスポーツなので、やっていたという人に出会うことはそれほど多くない。ましてや私より20歳近く年上で、過去にプレー経験がある人というのはめったにいない。

そのため、私はうれしくなってしまい、雑談としてアメリカンフットボールの話をA氏とたくさんした。そして、A氏にとても好感と信頼感を抱いた。

その後、A氏から正式に依頼があった。しかし、着手金の支払いは少し待ってほしいという。

通常、弁護士が正式に何か依頼を受ける際は、同時に着手金を受け取っている。弁護士に先に仕事だけさせて、お金を支払わないという事態を避けるためだ。

はじめての依頼者から着手金をもらわないということはありえないのだが、このときはすっかりA氏に好感と信頼感を抱いていたため、つい支払いを待つことに応じて仕事をしてしまったのだ。

その後、A氏からお金が支払われることはなかった。それどころか連絡もつかなくなった。まんまと踏み倒されてしまったわけだ。

その後どう対応したかについては省くが、冷静になって考えると、私は過去にアメリカンフットボールをしていたことを当時運営していた事務所のホームページのプロフィール欄に載せていた。

A氏は、それを見て、事前に知っていたのだろう。それを利用されて、私はまんまとA氏に好感と信頼感を抱いてしまった。そしてまんまと一杯くわされてしまったわけだ。

このように〝悪用〟することはもってのほかだが、相手の情報をインプットしておくことが、相手からの好感と信頼感を引き出す強力な手段であることはご理解いただけると思う。ぜひ、このインプット術を「正しく」活用してビジネスに役立ててほしい。

INPUT 05

未知の分野のインプットはまず「3冊本を読む」

仕事をしていると、いままで自分が取り扱ったことのない未知の分野に関する業務を担当することがある。

そんなときに効率的なインプットの方法を紹介する。

それは、

「その分野に関する本を3冊読む」

ことだ。

そして**その3冊の本は、それぞれ難易度レベルの違ったもの**にする。

説明していこう。

①1冊目は、入門レベルの本を読む

その分野になんの知識もない人でも読めるような本。イメージ的には中学生でも理解できるレベルだ。

最近では、難しい内容を漫画の形で紹介する本も多いので、そういったものでもいいだろう。また簡単な新書などもいいかもしれない。

なるべく本のボリュームがなくて、さっと全体を読むことができるものがベストだ。なぜなら、特定のジャンルにおいては、全体について理解することではじめて、個別の知識について理解が進むということがあるからだ。

たとえば、私は、弁護士の業務としてはじめてバイクの事故について扱うことになり、バイクの構造や仕組みについて知識をインプットしなければならないことがあった。バイクについてはそれまでスクーターくらいしか乗った経験がなかったため、まったく知識がなかった。

とある部品の役割や性能について調べたのだが、いまひとつ理解ができない。そこで、バイクメンテナンスに関する初心者向けの解説本を一度最後まで読み通してみることにした。

すると、バイクがどのような理屈で動くのかという全体像がわかり、その中で私が知りたかった部品がどのような働きをするのかがはじめて理解できたのだ。

このように、浅い理解でもよいので全体像を理解すると、その分野全体の理解が深まる。したがって、1冊目に読む本は、浅い理解でも全体像についてつかめる本を選ぶべきなのだ。

②2冊目は、1冊目よりは高度な内容のもの、読者に一定の基礎知識があることを前提とした解説本を読む

その分野の教科書的な本がベストだ。多少難しい部分があっても気にせず、まずは読み切ることを目標にする。

すでに述べたように、全体像を理解してはじめて個々の内容について理解が深まることがあるからだ。

③3冊目は、さらにレベルの高い本を読む

そのジャンルの専門家が参照する、大学の授業の教科書になるような本だ。専門書と呼ばれるような価格の高い本であることが多いだろう。

この3冊目の本は、詳しく読み込む必要はない。全体を流し読みする程度で十分だ。

そうして流し読みをしていき、とくに仕事を進める上で必要な知識がないかどうかを

探し、見つかったらそこを詳しく読み込んでいく。

知識レベルを上げていく読書術

「その分野に関する本を３冊読む」

① １冊目は、入門レベルの本を読む

② ２冊目は、１冊目よりは高度な内容のもの、読者に一定の基礎知識があることを前提とした解説本を読む

③ ３冊目は、さらにレベルの高い本を読む

このような「3冊の本を読む」というインプット方法のメリットは二つある。

一つは、**さまざまな知識レベルの本を読むことで、違った角度からのインプットをすることができ、理解が深まる**というものだ。

立体物を見るときに、一方だけから観察するより、上下左右さまざまな角度から観察したほうがその形がよく理解できるのと同じように、未知のジャンルの知識も3冊の異なったレベルの本から学ぶほうがよく理解できるのだ。

もう一つは、**大切なポイントがどこなのかわかるようになる**という点だ。

3冊の本を読むと、その分野において重点的に解説している部分と、さらりと解説している部分の違いが

わかるようになる。

その分野において、ポイントになる重要部分は決まっているのだから、どの本でも、その部分の記載は多くなる。**1冊読むだけではそれがわからないが、3冊読むことで「どの本でも重点的に書かれているから、ここがポイントなのだ」ということが理解できるようになる。**

それによって、些末な部分にとらわれず、重要な部分だけに的を絞って知識をインプットすることができる。

このように、仕事において未知の分野の知識をインプットするときは、レベルの違う3冊の本を読むことを実践してみてほしい。

INPUT 06

「全体像」にこだわりすぎるな

前項で、未知の分野の知識をインプットする際に、全体像を理解すると個々の内容についても理解が進む、と書いたが、ここで一つ誤解しないでほしいことがある。

それは、

「全体像のインプットにこだわりすぎない」

ということだ。

全体像の理解が個々の内容の理解につながることはそのとおりなのだが、全体について完璧な知識を身につけようとすると、あまりにも労力がかかりすぎてしまい、逆に効率の悪いインプットとなってしまう。

全体像のインプットは、ある程度頭に入っている、というくらいのレベルで十分だ。

自分が実際に使おうとしている知識が、全体の中でどこに位置づけられているのか――

それがわかっていればいいのだ。

こんな「こだわり」が仕事の進行を妨げる

私も弁護士として業務をはじめた当初は、未知の分野については体系的に最初からしっかりインプットしなければいけないと思い込んでいた。

はじめて交通事故の案件を担当したときのこと。交通事故というのは、多くの弁護士が一度は担当する案件だが、司法試験では交通事故の法律問題についてきちんと勉強することはない。

そこで、はじめて交通事故の相談を担当する際には、基本的な法律知識をもとにして自分で勉強しながら案件を進めていくことになる。

私は気合が入りすぎてしまい、交通事故に関する分厚い本を買ってきて一から勉強しはじめてしまったのだ。ただでさえ目の前の仕事にアップアップしている新人弁護士だったので、大変な時間がかかってしまい、仕事がなかなか進んでいかなかった。

なんとかしなければならない——。そこで、よくよく調べてみると、そのときの交通事故案件を処理していくために必要な知識は、交通事故の知識の中でも「過失相殺」という分野の知識だけであった。

そこで、全体像のインプットについてそれ以上追求することはやめて、過失相殺についての知識を重点的に、徹底的にインプットし、その知識を使って案件を進めたところ、どんどん処理が進んでいった。

全体像の知識のインプットにこだわりすぎると、無駄の多いインプットとなってしまい、実務を進めるにあたっての障害になってしまうのだ。

もちろん、全体像の知識をまったく無視して、個別の知識だけをインプットするというのもおすすめしない。

なぜなら、全体像の把握をしていないと、偏った知識だけを使って目の前の仕事を処理しようとしてしまうからだ。

じつはその問題を解決するためにもっと適した知識・方法があったかもしれないのに、全体像がインプットされていないがためにそれに気がつかず、ビジネスチャンスを失ったり、問題解決に失敗したりするかもしれないのだ。

全体像をある程度インプットしておくことで、穴をなくし致命的な失敗を防止する。その上で、個別の知識を深くインプットし、効率的にその知識を仕事に活かしていく。

その両者のバランスがとても重要なのである。

INPUT 07

アウトプット直前のインプットに重大なカギがある

仕事はアウトプットの連続だ。取引先と商談をしたり、競合他社とともにプレゼンを披露したり。社内の会議もそうだろう。人と会ったり、何かを発表したりすることはすべてアウトプットにあたる。

このような仕事上のアウトプットを成功させるのに非常に効果的なインプットがある。

それは、

「アウトプットをする直前のインプット」

である。

たとえば、これから取引先に対して新商品のプレゼンをするとき、プレゼン開始時間の10分前に取引先担当者が自社を訪問してきたとする。そして、軽く雑談をしたところ、取引先がそのとき興味のある商品の方向性について聞き出せたとしよう。

アウトプット直前のインプットは有益

たとえば、プレゼン――

相手の本音　出席者の顔ぶれ　その場の空気

するとたとえ10分前であったとしても、その情報をインプットすることができれば、プレゼンの際に、取引先の興味にそった形で商品を紹介することが可能になる。

事前に準備したプレゼンの内容を大きく変えることはできないかもしれない。

しかし、言い方やアピールする内容の強弱を変えることで、取引先の興味に合わせたプレゼンに修正することができるだろう。

その修正をしたおかげで、取引先との商談がまとまるかもしれない。**アウトプット直前のインプットというのは、費用対効果が高い**のだ。

なぜ直前のインプットが効果的かというと、直前にインプットした情報というのは、とても新鮮な情報であるため、目の前にいる相手に合わせたアウトプットにつなげやすいからだ。

たとえば、有名な講演家などは、事前に話をする内容を決めていたとしても、壇上に上がって出席者の顔を見回し、どんな人が来ているのか、といった新鮮な情報をインプットした上で、出席者が興味を持つような話に講演内容を変更することがある。

また、**直前にインプットする情報は、直前にしか手に入れることができない価値のある情報であることが多い**。だからこそ、アウトプットに反映させやすいのだ。

たとえば、私はこれまでたくさんの法律相談を受けてきたが、予約の電話を受けつけてから事務所で相談を受けることもあれば、法律相談会のようなところへ行って相談を受けることもある。

後者の場合には、事前にどのような相談が来るか弁護士は知ることができない。これは弁護士にとって、とくに経験の浅い弁護士にとってはとても怖いことである。

弁護士といえどもすべての法律に精通しているわけではないから、あまり知らない法律について聞かれると答えることができない、という事態に陥ってしまうことがあるのだ。

そこで弁護士になりたてのころ、私は実際に相談に入る前に少しでもいいから法律相談の内容を知ることができないかと考えた。

当時、私が担当していた法律相談会は、30分ほどの枠を決め、受付順に相談者をその枠に割り当てていく方法を取っていた。受付担当の方が、相談者から名前などを聞いて機械的に割り振っていくのだ。

その際、私は、受付担当者が相談者から相談内容のジャンルを簡単に聞いてそれをメモしていることに気がついた。たとえば、「A氏、相続についての相談」などというものである。

私はそこに着目し、受付してから相談がはじまるわずか数分程度の間に、そのメモを見せてもらうことにした。相談内容について直前のインプットをしたのだ。

わずか数分であっても、相談内容のジャンルがわかれば、六法全書で該当するページを開いておく、その法律分野でどのような点が論点になっていたのかを思い出すなど、相談への回答というアウトプットの準備としてやれることはけっこうある。

アウトプット直前のインプットというのは、情報が新鮮で直前にしか手に入らない貴重な内容が多いため、アウトプットを成功させるためには非常に効果的だ。

アウトプットの直前になってもあきらめることなくインプットを行ない、価値ある情報を利用してうまくアウトプットにつなげてほしい。

INPUT 08

何かアイデアが浮かんだときの「メモの取り方」

ふとした瞬間に、いいアイデアが思いついたり、疑問点や調べたいことが思い浮かんだりすることがある。

そういったアイデアの中には、仕事に役立つものが多くあるため、すぐにメモを取り、忘れることを防ぐことが重要だ。

インプット力を高めるメモの取り方として意識してほしいことは、「すぐにその場でそのアイデアについて考えたり、詳しく調べたりしてはいけない」ということだ。

アイデアを思いついたら、スマホのメモアプリなどで素早くメモをして自分のメールアドレス宛に送ろう。そして、その場ではアイデアのことについて忘れてしまうとよい。

このようなメモの取り方をするのには二つの理由がある。

①脳のメモリを開放するため

人間の脳はパソコンと同じように、一度に考えたり記憶したりする量に限界がある。思いついたアイデアについていつまでも考えていると、脳のメモリを長時間にわたり使用することになってしまい、いま本当に集中すべき目の前の仕事がおろそかになってしまう。メモを取ったらすぐに忘れることで、目の前の仕事への集中を切らさずにすむのである。

②記憶に残しやすくするため

思いついたアイデアについてその場で深く考えたり、調べたりすることはもちろん可能だ。とくにスマホが普及した現代では、どんなアイデアや疑問についても短時間でその場で検索し、調べることができる。

しかし、これはインプット力を高めるという意味では逆効果だ。あまりに短時間で簡単に調べられてしまうため、記憶のとっかかりがなく頭に残りにくい。

その場で思いつったアイデアをメールで自分に送っておき、時間と場所が違う状態でメールチェックをして、再度そのアイデアに接触する。そうすることで、同じアイデアに新鮮な状態で繰り返し接することができるのだ。

記憶のコツは繰り返しにある。このメモの取り方をすれば、自動的に記憶の繰り返しをしていることになり、インプットがスムーズになる。

また、そのアイデアについて、「思いついた直後」と「メールで確認したとき」の2回の場面で考えることで、アイデアの精度も上がることになる。思いついた直後にはすばらしいアイデアだと思っても、翌日考えてみるとたいしたアイデアではなかった、と感じることはよくあることだ。

文字でメモを取る代わりに、写真でメモを撮ることも頻繁にあるだろう。スマホのカメラ性能が向上したいま、写真をメモ代わりに使わない手はない。

写真をメモ代わりに使うときも、撮影した写真をメールに添付して自分宛てに送っておくとよい。

その理由はすでに述べたとおりだ。とくに写真の場合、スマホの中でメモとは関係のない、ほかの写真と一緒になり、必要な写真がどこにいったのかわからなくなりがちなので、メールで送っておくことが役に立つ。

写真をメールで送る際には、あえて文字のメモを書き加えないこともポイントだ。どこが自分にとって引っかかったのかをあえて書かず、メールで写真を見たときにあらためてなぜこの写真をメモに残したのか考えるのである。

そうすることで、そのメモがいまの自分にとって本当に価値があるのか、使えるアイデアなのかということがわかる。

後日あらためて写真を見て、「なんでこんなものをメモしたのかわからない」と感じたならば、それはいまの自分にとって本当に価値のあるアイデアではなかったということだから、すぐに破棄すればよい。

あらためて写真を見ても価値のあるアイデアだとわかれば残す。その際にはすでにその価値のあるアイデアに2回接触したことになっており、自然とインプットが進んでいるはずだ。

ちなみに写真をメモ代わりに使う場合、スマホの画面そのものを写真に撮るスクリーンショットもとても便利だ。スマホの機種ごとに、スクリーンショットの方法は違うので、自分が使っているスマホでスクリーンショットを撮る方法を調べておこう。

INPUT 09

ランダム・インプットは「雑誌」がベスト

これまで、インプットは無駄を排除し効率的に行なうべきだと、さんざんいってきた。

これと矛盾すると思われるかもしれないが、**「特定の知識や情報の取得を目的としないランダムなインプットも行なう」**と大いに仕事に役立つ。

なぜなら、時として思わぬ知識や情報が現在の仕事の問題解決に結びつくことがあるからだ。

たとえば、新商品の開発に頭を悩ませているとき、気晴らしに眺めていた雑誌の記事から新しい発想が生まれ、ヒット商品の開発につながることがあるかもしれない。

「集めよう」という意図でインプットするものは、どうしても既存の知識や情報の枠を超えることができない。

いままで考えたことのないことを考えようと思っても、考えるのは自分の頭だから限界があるのだ。

ランダムなインプットをすることで、自分が思いつきもしなかった知識や情報を得ることができる。

それがすでに頭の中にある知識や情報と結びつき、斬新なアイデアが浮かんでくるのである。

ランダム・インプットでおすすめなのは「雑誌」だ。

とくにいまは、雑誌の読み放題サービスがあるので、これを利用するのがいいだろう。**私は、「dマガジン」という雑誌の読み放題サービスを利用している。**「dマガジン」は、月額400円（税抜）で1200誌以上の雑誌が読み放題になるサービス。タブレットにアプリをダウンロードし、電子書籍の形で読むことができる。

データとして配信されるので紙の雑誌のようにかさばることがない。また発売日に書店に行くことなく、すぐに読めるのもすぐれた点だ。400円という価格も魅力的。1冊の紙の雑誌にも満たない価格でそれほどたくさんの雑誌を読めるのはとても有益である。

そもそもなぜランダム・インプットするための媒体として「雑誌」がすぐれているのか。

それは、**雑誌には人の興味を引きつけるアップトゥデートな記事が多く掲載されているからだ。**

単行本や文庫本などと違って、雑誌は「いま」たくさんの人が読みたいと思うタイムリーな記事を多く掲載する傾向がある。たくさんの人が興味を持つことは、お金やビジネスにつながりやすいといえる。

だから、雑誌に掲載されている情報をインプットすることは、自分のビジネスに役に立つ可能性が高いのだ。

ただし、ランダム・インプットには「時間制限」をかける

実際に私も、ランダムにインプットしていた雑誌の情報が仕事につながった経験がある。

あるときテレビ局からテレビ出演のオファーがあった。法律に関する問題を出演者に答えさせ、その正解について解説を私がするという番組だった。

企画段階で大枠の出題内容は決まっていたものの、確定はしておらず、私は番組企画担当者から「何かよいアイデアはないか」と相談された。

雑誌には「いま」があふれている

そのとき私は、ちょうど雑誌で、ある記事を読んでいた。

それは、主婦向けの週刊誌だったのだが、主婦が騙される可能性のある最近流行りの詐欺手口についての記事であった。

私はこの記事の内容をもとに、主婦が騙されている最新の詐欺事例を問題にしたらどうかと提案したところ、その番組がターゲットとしている視聴者がちょうど専業主婦であったことから、提案とほぼ同じ内容が出題されることになったのである。

普段の私が意図的にしているインプットでは、主婦向け雑誌の記載内容を知ることはなかった。ランダムなインプットをしていたからこそ得られた情報である。

雑誌に書かれている記事は、最新の流行をふまえた上で、多くの人の興味を引く内容となっている。

それゆえ、新しい企画や商品、サービスを考えるような仕事に結びつきやすいといえるだろう。

ぜひとも雑誌を利用したランダム・インプットをしてほしい。

ただし、ランダムなインプットは、必ずしもすぐに仕事に役立つものではないから、そればかりしていたのでは無駄なインプットとなってしまう。

「1日15分までにする」

「チェックする雑誌の範囲を決める」

など、時間をかけすぎないように工夫することが大切だ。

INPUT 10

相手から有益な情報を引き出す「自己開示法」

ビジネスでは、人から話を聞き、その内容をインプットする場面がたびたびある。そんなときに効果的な手法が「自己開示」をすることである。

ビジネス上の交渉など、お互いの利害が対立するとき、相手から有益な情報を引き出すのが難しいことがある。その際には、まず自分自身から「自己開示」をするのだ。

「自己開示」というのは、積極的にこちらから情報を相手に教えるということである。

すでに述べたとおり、人の心理法則として**「返報性の法則」**というものがあり、人は相手が自分に対してしてくれたことに対して、なんらかのお礼をしたくなるという習性がある。

相手が自己開示して有益な情報を教えてくれると、お返しに自分も相手に有益な情報を開示したくなる。

その結果、あなたは、自分に有利な情報を手に入れ、それを効率的にインプットすることができるようになるのだ。

ここで、「いかに自分に有利な情報を手に入れたとしても、相手にも有利な情報が渡ってしまうのでは意味がないではないか」と思うかもしれない。

しかし、そうではない。なぜなら、必ずしも相手にとって本当に有利な情報を与える必要はないからだ。

ポイントは、相手に**「有利な情報を手に入れることができて『ありがたい』と思ってもらうことさえできればいい」**という点にある。本当にその情報に価値があるかどうかにかかわらず、相手が「価値がある」と感じてくれさえすればいいのである。

そして相手に「価値がある」と感じさせるためにとても効果的な言葉がある。

「正直なところ……」

「ここだけの話ですが……」

「ぶっちゃけていいますと……」

などといった言葉だ。「あなただけに特別に自己開示をしている」ということを示唆する言葉である。この言葉があるだけで、人はそこで語られている内容がとても秘密性が高く、自分だけが知ることができる価値のある情報だと感じるようになる。

「返報性の法則」を巧みに使う

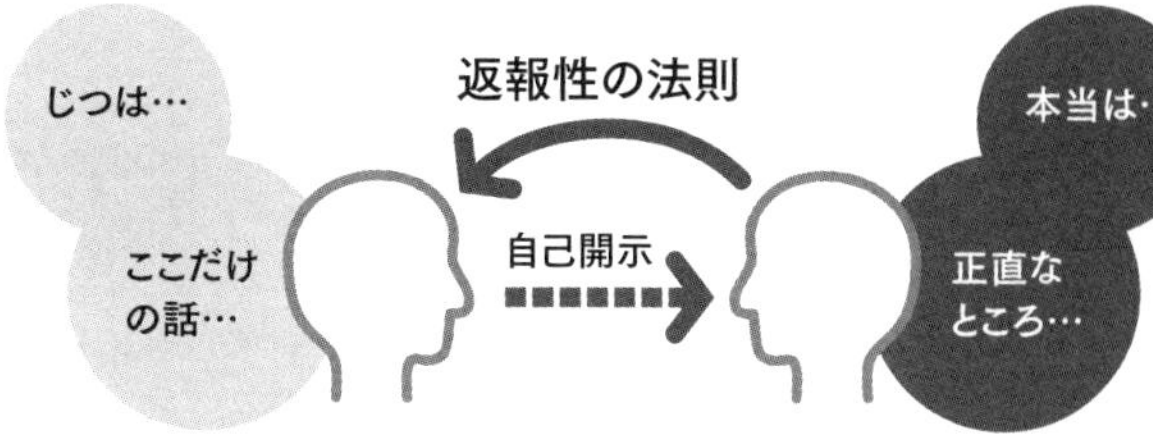

その結果、価値あることを教えてくれたお礼として、相手もこちらに価値のある情報を教えてくれるようになるのだ。

諸刃の剣だが強力なインプットテクニック

弁護士として交渉する際に、この手法はとても効果的に使える。たとえば、離婚の慰謝料金額について交渉しているときなどに、「正直なところ……こちらの依頼者は、慰謝料として500万円以上もらえなければとことん裁判をやるつもりでいる」「（相手の弁護士に対し）先生だからいえる、ここだけの話ですが……300万円もらえればこちらの依頼者は納得すると言っています」などと伝えるのだ。

ここで相手に開示する情報は、そのまま相手に伝えても問題のない内容だ。

しかし、あえてこのような「特別に自己開示している」ことを示す言葉とともに伝えることで、その情報に価値があることをアピールする。

このような積極的な自己開示により、短時間で相手方から有益な情報を引き出すことができ、効果的なインプットにつながるのだ。

ただし、この手法で気をつけなければいけないのは、**頻繁に使えるテクニックではない**という点である。

口グセのようにそれらのワードを使っていれば、「この人はいつもこういういい方をする人だ」と思われて、有益な情報を得ることができなくなるばかりか、信用も失うことになる。

したがって、**ここぞという情報のインプットに必要なときだけ使うべき手法**である。

また、当然であるが、事実でないことを情報として伝えてはならない。場合によっては詐欺罪が成立することになるし、ばれるようなことがあれば一気に信頼を失うことになるだろう。

INPUT 01

私が司法試験の勉強で実践した、たった一つの記憶術

ここから、「勉強編」ということで、**勉強における効率的、効果的なインプット方法**について紹介していきたいと思う。

勉強におけるインプットとしてもっとも重要なのは、ズバリ**「記憶」**だろう。司法試験も含めて、なんだかんだいって世の中の試験の8割以上は記憶力で結果が決まる。それだけ勉強において記憶は重要だ。

司法試験では、膨大な量の法律知識を記憶することが求められる。そのような、**司法**

試験の勉強において私が記憶について学んだことはたった一つ。シンプルなものだ。

それは、

「ひたすら繰り返すこと」

である。具体的な方法については次項で説明するが、記憶は、何度も何度も覚えることを繰り返せば定着する。

たとえば、英単語を覚えるとき、最初に日本語の意味を見て英単語が思い出せるように学習する。翌日また、日本語の意味を見て記憶しているかどうかを確かめる。記憶していなければ、またその場で英単語を覚える。翌日以降もそれを繰り返す。**記憶するには結局、その繰り返しがすべて**なのだ。

繰り返しが記憶にとってもっとも効果的であることは、科学的にも証明されている。記憶に関する有名な理論に「エビングハウスの忘却曲線理論」というものがある。ご存じの人もいるだろう。これはエビングハウスというドイツの心理学者が人間の記憶について研究した成果をまとめた理論だ。

エビングハウスは、「人は一度記憶したことを時間の経過とともにどのように忘れていくのか」の調査を行なった。結果としては、人は時間の経過とともに右肩下がりで覚えたことを忘れることがわかったが、それ以外にも多くのことがその研究から判明し

「エビングハウスの忘却曲線」とは？

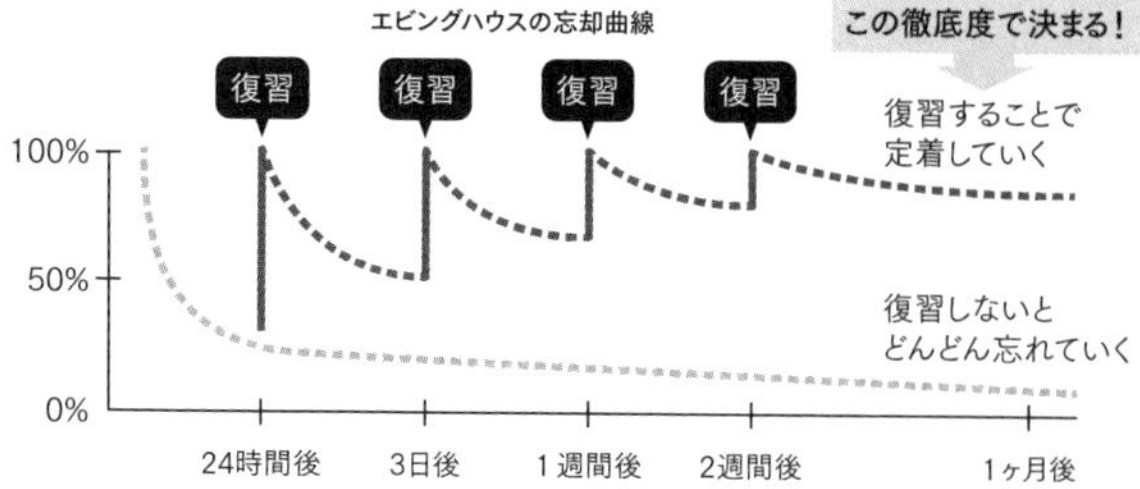

た。

そのうちの「繰り返し」が記憶にとって重要であることを理由づける根拠となるのは、**「復習を重ねるごとに忘れにくくなる」**というものと、**「一度に記憶するよりも時間をかけて記憶したほうが効率は上がる」**という研究結果だ。

毎日毎日繰り返して覚えることは、復習を重ねて、時間をかけて記憶することにほかならない。

科学的な見地からいっても、「覚えることを繰り返す」ことが記憶にとってもっとも効果的であることがわかる。

本当に使える記憶術はこれだけ

記憶術については、ほかにも方法がある。

たとえば、脳のイメージを利用するとか、ストーリーを使うとか、さまざまある。

しかし、私からすると、**本当に使える記憶術は「繰り返す」ことだけ**だと思っている。

司法試験の受験勉強をしている際、記憶術についてはさまざまな書籍を読みあさって自分なりに研究し実践してみた。

しかし、いっていることはわかるし、そのとおりなのだが再現性がない、目の前の法律知識の暗記には使えない、というものがほとんどであった。

たとえば、効果的な記憶術としてよく紹介されているものとして、「感情を伴って記憶した内容は忘れない」という手法がある。

これは、たとえば、ファーストキスのように特別な感情を伴っていたときの出来事はすべて記憶しているでしょう、というものだ。

しかし、それを無味乾燥な法律知識の暗記にどのように使えばいいというのだろうか？　ドキドキする恋愛ドラマをわざわざ見て、その直後にでも暗記作業をすればいいのだろうか？

私がさまざまな書籍で知った記憶術の多くは、結局、理論としては正しくても、実際の勉強には使えない、というものばかりであった。

何度もいうが、**結局、一番シンプルで効果が高く、実践しやすい記憶術は、「繰り返す」という方法だけ**だ。

たしかに、地味で面白みもないが、これを実践すると、岩にへばりついた貝のように記憶した内容が頭にへばりつき、いつまでたっても忘れない。

実際に私が司法試験の勉強中に記憶したフレーズに、「薬物事犯における薬物への故意は、依存性の薬理作用を有する心身に有害な薬物であることの認識があれば足りる」というフレーズがある。

当時なかなか覚えられなかったのだが、繰り返し覚える作業をすることで記憶し、それから15年以上経過したいまでも一言一句、正確にいうことができる。受験勉強中からいままでその言葉を弁護士業務で使うことはなかったにもかかわらず、である。

鬼のように繰り返して覚えたこと。

それは、いつまでたっても頭の中から消えないのだ。

INPUT 02

「単語帳」は、いまでも最強の記憶ツール

「繰り返し」覚えることが、「記憶」というインプットにもっともシンプルで効果的であることは前項で説明したとおりだ。

では、どのように「繰り返し」をすればいいのだろうか。

その方法もとてもシンプルだ。

「まず何かを覚えたら、次の日にまだ記憶しているかどうかを確認し、忘れていたら覚え直す。ひたすらこれを繰り返す」

その「徹底度」によって正否が分かれる。

ここでポイントとなるのは、**「毎回、自分に問題を出して記憶しているかどうかを厳しくチェックする」**ということだ。

暗記をするときにやってしまいがちなのは、覚えているか、忘れてしまっているかを

きちんと確かめずに、なんとなくチェックすることだ。

とくに受験生の多くは「せっかく頑張って暗記作業をしたのに覚えていなかった」ということが明確になり、残念な気持ちになることを嫌がる。

そのために、覚えているか、忘れてしまっているかのチェックを曖昧にしてしまう。そして、いざ試験になって失敗する。普段より緊張する試験本番において、あやふやな記憶はまったく役に立たない。勇気を持って記憶ができているかどうかを確かめなければならない。

本当のところをいえば、「勇気を持って」確かめる必要などない。なぜなら、エビングハウスの忘却曲線理論から明らかなとおり、人は一度覚える作業をしただけでは物事を記憶できず、繰り返し覚える作業をすることではじめて記憶できるものだからだ。

一度覚えたのに、すぐに忘れてしまい絶望的な気分になる、というのは、一度の覚える作業で確実に記憶できるものだ、という思い込みがあるからだ。

それは明らかに間違いである。何度も覚えてはじめて記憶できる、ということが理解できていれば、一度覚えて忘れてしまっても当たり前のことだという感覚になる。

インプットがうまい人は淡々と「忘れる」ことができる。そして「忘れる→覚える」の作業を徹底して、ひたすら繰り返すことができるのだ。「覚えていないこと」に一喜一憂することがない。

このように、記憶というインプットに対する「考え方」を変えるだけで、暗記することへの苦手意識を取り除くことができる。

覚えることを繰り返す――その「徹底度」がすべて

「毎回、自分に問題を出して記憶しているかどうかをチェックする」という覚える作業に最適なツールは、古くからある **「単語帳」** だ。

スマホをはじめとする小型電子機器が発達した現代で何をいまさらと思われるかもしれないが、私が子どものころから文房具店で売られている単語帳が、繰り返しで記憶を定着させるために一番適したツールである。逆にいえば、それだけ記憶定着にとってすぐれたツールであるからこそ、いまだに文房具店で売られているのだろう。

単語帳の使い方は、英単語を覚えるときと同じ。カードの一方に問題を書き、裏面に答えを書く。

これだけである。最近はスマホのアプリや、小型の電子機器などで単語帳と同じように使えるものもあるようだが、やはり紙の単語帳がベストだ。

なぜ、「手書き」がいいのか？

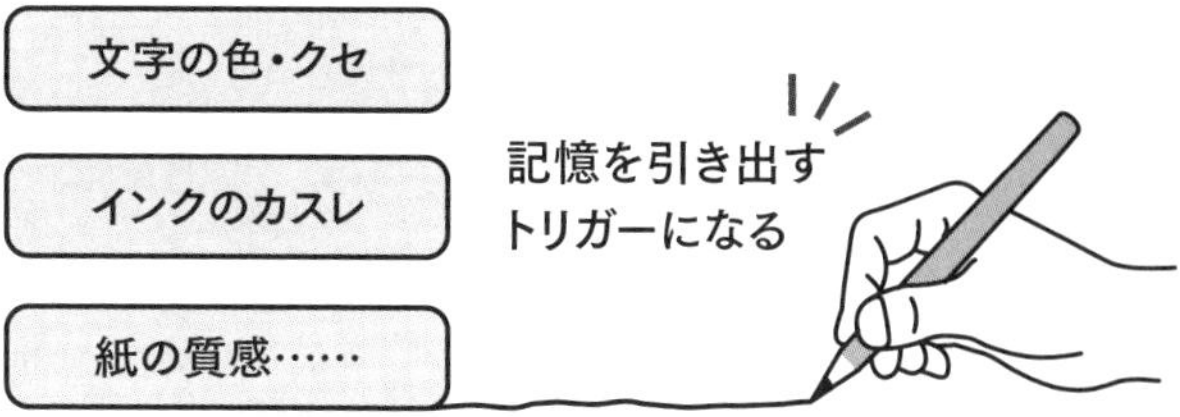
文字の色・クセ
インクのカスレ
紙の質感……
記憶を引き出す
トリガーになる

というのも、電子データから人が認識できる情報量はとても少ないからだ。

たとえば、紙の単語帳からは、インクのカスレ、書いた文字の色・クセ、紙の質感、少し折れた紙の感触など、記憶のきっかけとなる情報を多く得ることができる。

つまり、単語帳に書かれていることを思い出すときに、「あぁ、これは、少し紙の隅が破れてしまったあのカードに書いてあったな」などといったように、とっかかりとなるのだ。

電子データにはこれがない。表示が切り替わっても出てくるのは、特徴のない活字部分だけだ。海外では電子書籍で本を読むより、紙の本を読むほうが記憶に残りやすいという研究結果があるようだが、これも同じ理由であろう。

では、単語帳を使って覚える作業を繰り返すとき、どのくらいの頻度で行なうべきか。

エビングハウスの忘却曲線理論では、時間と忘却率の研究から最適な復習周期を導くことが可能で、それについて詳しく書かれた書籍などもある。

しかし、記憶作業をするのにいちいち最適な時期を特定してスケジューリングするというのは面倒な作業だ。

私もそれを試みたことはあるが、スケジューリングすることにエネルギーが使われてしまって効率的ではなかった。

結論からいえば、**毎日1時間ほど記憶のための時間を取り、順番に単語帳によるチェックをしていく**のが一番である。

司法試験の勉強中は、勉強場所までの電車移動時間の90分ほどを記憶のための時間にしていた。司法試験ですら90分で足りたので、どんな勉強でも毎日1時間ほど時間を確保すれば十分だろう。試験内容や記憶すべき知識、情報の量に応じて時間は調整してほしい。

ABCという科目で記憶すべきことがあったら、Aが終わったらBをやり、Bの途中でその日が終わったら翌日はBの続きからチェックし、Cまで終わったらまたAからはじめる、というように、時間と順番を決めて単語帳のチェックを続ける。

重要なのはそれをひたすら、「鬼」のように徹底できるかどうかだけだ。

とてもシンプルで地味な方法だが、実践すれば劇的な効果があることを保証する。

INPUT 03

「作業」と「インプット」を勘違いしてはいけない

勉強を進める上で、ぜひとも気をつけてほしいことがある。

「作業をインプットと勘違いしない」

ということだ。

ここでいう作業というのは、外見上は勉強（インプット）しているように見えるものの、その中身は勉強ではなく単に手を動かしているだけのことをいう。

たとえば、学習内容をまとめた、きれいなノートをつくることや、単語帳を作成すること、ファイリングをすることなどがこれにあたる。

これらの作業は、どれだけ時間をかけたとしても、知識のインプットにはならない。インプットをするための準備としては必要かもしれないが、インプットそのものではないのだ。単語帳をつくるのは「作業」であり、その単語帳で自問自答を繰り返しその内容を覚えることが「インプット」だ。

「作業をインプットと勘違いするな」という理由は、勘違いすることによって、インプットの時間が減ったり、労力がおろそかになってしまったりするからだ。

たとえば、半日作業をした場合、本当はその時間はインプットした時間すなわち勉強時間ではないのに、「今日は半日みっちり勉強したからもういいや」となってしまう危険性がある。

人は本能的になまけたいという欲求を持っている。したがって、作業とインプットの時間をしっかりと意識していないと、人はなまけるために作業時間を勉強時間だと都合よく考えてしまうのである。

だから、勉強をする際には常に、**「いま自分がしていることは作業なのか、それともインプットなのか」**ということを意識しなければならない。

「ノートづくり」が勉強効率、学習効果を下げる

資格試験などの勉強を進めるにあたり、**「自作ノートをつくるべきか？」**ということがよく議論される。

それは本当に「インプット」か？

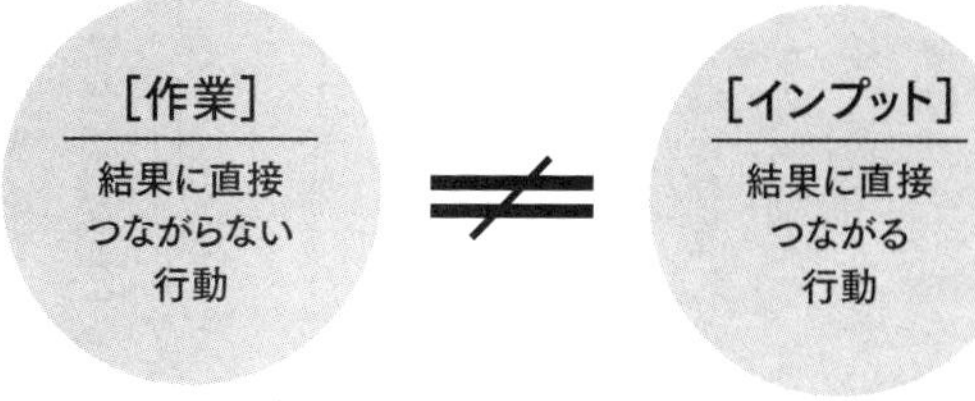

もちろん勉強する科目や、本人の適性などにもよるが、私としては、**「ノートはつくるべきではない」**と考える。

なぜなら、学習時間の多くがノートづくり、すなわち「作業」にあてられてしまい、肝心のインプットがおろそかになってしまうからだ。

また、参考書があるような学習の場合、自分でノートをつくるより、すでにうまくまとめられたテキストを利用したほうがよほど効率がいいからである。

逆にいえば、教科書も参考書も何もないような分野の勉強をする場合には、ノートをつくったほうが、見返す資料を残せるという意味でいいだろう。

しかし現実的には、そのような分野の勉強をすることは極めてまれだ。ノートづくりにこだわるあまり、勉強の目的がノートづくりそのものになってしまうという本末転倒が起こる。

私が司法試験の受験生を指導した際、このような受験生がいた。

同じ大学の先輩であったが、その先輩は、10年以上合格することができていなかった。「ベテラン受験生」である。

ある日、毎日どのようなスケジュールでどんな勉強をしているのか聞いてみたことがある。

するとその先輩は、びっしりと細かく、活字のようなきれいな字でまとめられた膨大な量のノートファイルを持ってきた。

その先輩は、日々そのファイルに新しいルーズリーフを差し込み、基本書と呼ばれる法律書の内容をまとめていたのだ。

ときには、過去のノートをよりきれいに書き直したり、細かな修正があるたびに一からノートをつくり直したりしていたのだ。驚くべきことに、その先輩は、勉強時間の8割近くをその「作業」にあてていたのである。

これでは、合格できないのは当然だ。

その先輩は、ノートをつくるという「作業」を勉強だと勘違いしており、本当の意味での勉強をほとんどしていなかったのだ。

これとは対象的に、私を含めて数年の勉強で合格する若手合格者の多くは自作ノートをつくっていなかった。参考書などに、補充すべき知識、情報を書き込み、それをノートの代わりにしていた。

見栄えはあまりよくないが、見栄えがよいノートをつくったところで司法試験には合格できない。ノートづくりより、そこに書かれていることをインプットすることに時間と労力を注ぎ込んでいたのだ。

結局、その先輩は、私が指摘してもノートをつくり続けることをやめず、合格できないまま司法試験をあきらめることになった。

ノートづくりなどの作業は、インプットの代わりにはならない。**ビジネスパーソンでも、たとえばマーケティングの勉強をしたい、投資の勉強をしたいと、セミナーや研修を受けて、講師のいうことを必死でノートにまとめている人がいるが、やめたほうがいい。**

自分のしている勉強が単なる「作業」なのか、本物の「インプット」なのか。そのことを常に意識してほしい。

INPUT 04

「何を、どこを勉強するか」は、成功者に訊け

勉強における記憶というインプットでは、ひたすら、鬼のように「繰り返し」覚えるのが重要であることはすでに述べたとおりだが、繰り返し覚える作業をする前にしなければいけないことがある。

それは、**どの部分を記憶するかの見極め**だ。

たとえば、資格試験の勉強で、試験に出ない部分や覚える必要がない部分を記憶していたのでは効率のいいインプットとはいえない。**記憶すべき部分と記憶しなくてもいい部分をきちんと見極めて、記憶する部分を最小限にすることが、少ない労力で最大限の効果が得られるインプットにつながる。**

たとえば資格試験において、何を、どこをインプットするかの見極めで最大のポイントとなるのは、

「自分で判断してはいけない」

ということだ。

「この部分は記憶しよう」とか、「この部分は記憶しなくていいや」などと自分で判断してはいけない。とくに勉強の初期段階では。

なぜかというと、勉強をはじめたばかりの段階では、試験においてどの部分が重要で、どの部分がそうではない知識なのかを判断することは不可能だからだ。

では、何を基準にインプットする部分を見極めるのかというと、**その試験に合格した人、その試験問題をつくっている人、信頼できる参考書などを基準**にする。

それが手っ取り早く、また合理的かつ効率的だ。

試験に合格した人は、その試験で問われる知識の内容やその程度を理解している。理解しているからこそ合格しているわけで、すでにその試験の勉強のゴール地点がわかっているのである。

すでにゴールした人が「ここは重要だから記憶しなさい」といったのであれば、素直にそれに従うべきだ。

司法試験でいうと、司法試験予備校の講師（弁護士や司法試験合格者）などがこれにあたる。

試験問題をつくっている人は、まさにその試験で必要とされる知識を問う問題をつくっているのだから、どのような知識を受験者が記憶しておくべきか深く理解している。これにあたる人には、高校の教師や大学教授などがいる。小学校や中学校のときに、よく先生が「ここはテストに出るから重要だぞ！」などということがあったが、まさにこれ。

また信頼できる参考書などに、ポイントとしてまとめてあるような部分も記憶すべき内容といえる。参考書のほとんどは、その試験に精通した執筆者が作成しており、記憶すべき知識がなんなのかを判断する基準となりえる。

注意すべき点は、教科書的な本だ。教科書は網羅的にその学問の知識が並べてあるので、記憶すべき部分の見極めに役に立たないことがある。

その点、参考書は、試験に合格するという目的のために情報の絞り込みをしている本が多いので、記憶する部分を見極める基準となる。

何か新しい勉強をはじめる人たちへのアドバイス

司法試験の勉強中、私は司法試験予備校に通っていたが、その授業中に講師が「ここは覚えましょう」といった部分は絶対に聞き漏らさないようにし、すぐにその部分を単語帳に書き写して記憶するようにしていた。

勉強をはじめた当初は、なぜその部分を記憶しなければいけないのかわからなかったが、あとから振り返ってみると、まさにその部分が論文試験において記憶しておかなければならない内容だということがわかった。

反面、司法試験になかなか合格できない人は、予備校講師が「ここが大事です」といってもそれを聞き逃し、あるいは信じず、自分で重要な部分や記憶する部分を決めていたように思う。

このように、ゴールが見えていない時点では「何を記憶すべきか」という見極めができない。やみくもに記憶しようとしても人の能力には限界があり、それは無駄なインプットにつながる。

これは、受験だけに限らないだろう。**ビジネスパーソンとして、何か新しい分野の勉強をはじめるとき、何をインプットするかを自分で勝手に見極めない、実績のある人に従う、という原則を守ることで効率も成果も上がるのだ。**

INPUT 05

試験に受からない人たちが全然わかっていないこと

試験勉強というインプットには、その対となるアウトプットが存在する。その多くは試験問題に答えるという形を取る。

そうであるなら、インプットとしての勉強は、試験問題に答えるためにもっとも効率のいい方法で行なう必要がある。

試験問題に答えるための効率のいいインプットをするために意識してほしいことがある。それは、**「記憶で答える問題と考えて答える問題を区別する」**ということだ。

これまでなんらかの試験でそれなりの成果を出してきた人であれば、「記憶で答える問題と考えて答える問題を区別する」という言葉にはすぐにピンと来ることだろう。そうでない人は、これまでの勉強に無駄があったかもしれない。

「記憶で答える問題」というのは、インプットした内容がそのまま答えになるような問題だ。頭を使って答える必要がなく、記憶ですべて対処することができる。

たとえば、「1mは何㎝ですか?」といった問題。こういった問題は頭を使う必要がないが、逆に記憶していなければ答えることができない。

これに対して、「考えて答える問題」というのは、記憶したことをそのまま答えるだけでは回答できない。記憶した内容をふまえて、考えるひと手間をかけてはじめて答えることができる。

たとえば、「1m－70㎝=?」といった問題だ。この場合、1mを100㎝に変換し、引き算をするという「考える手間」が必要になるのだ。

このように、目標とする試験の問題が、記憶で答える問題なのか、考えて答える問題なのかを意識しないで勉強すると、それは効率の悪い無駄なインプットになる危険性がある。

なぜなら、考えて答える問題なのにもかかわらず、やみくもに答えをインプットしようとすると、無駄なインプットばかりをすることになるからだ。

先ほどの例でいえば、「1m－70㎝=30㎝」という内容を丸々記憶するようなもの。これを丸暗記しても、「1m－50㎝」という問題には答えられないし、さらに「1m－50㎝」の答えも丸々記憶しようとすると、あらゆる計算式を記憶しなければならなくなり、現実的ではない。

勉強の〝初期段階〟でやっておかなければならないこと

そんなこと当たり前だ、というかもしれないが、実際にそれと同じようなインプットをしている受験生は多い。

先ほどの1mの引き算はごくわかりやすくした例だが、実際の試験では、その問題が「知識(=記憶)で」答える問題なのか「考えて」解く問題なのかという区別が、この例のように必ずしもわかりやすいわけではない。

司法試験の例でいうと、試験には多くの受験生が見たこともないようなマイナーな判例に関する問題が出題されることがある。

しかし、そういった判例が題材になった問題は、その判例の知識そのものが問われているのではなく、既存の判例、受験生であれば誰もが勉強する判例の知識をふまえて、そこからどのように法律的な考えで答えを導くかが問われているのだ。

これを勘違いすると、いつまでたっても試験に受からない「ベテラン受験生」になってしまう。

ベテラン受験生は「やっぱりこんなマイナーな判例が出題された。もっともっと細かく勉強しなければ」といって法律書や法律論文などをやみくもに読みあさるのだ。

だが、前述したとおり、ベテラン受験生に比べて知識の量が明らかに少ない若手受験生も司法試験に合格するのだ。

司法試験では、知識の「量」だけが問われているわけではない。基本的な知識と、その知識を使って考える力が問われている。ベテラン受験生はそれがわかっていないのだ。

このような無駄なインプットを避けるためには、自分が目標とする試験の問題が、「記憶で答える問題」と「考えて答える問題」のどちらなのか、どこまでの知識をインプットする必要があるのかということを、インプットをはじめる段階でしっかり見極める必要がある。

勉強の初期の段階でそこを明らかにしておかないと、その後の勉強が無駄なインプット、非効率なインプットだらけになってしまう危険性がある。そうなると、当然、成果につながらない。

勉強の初期段階でその判断が難しい場合には、前項で書いたとおり、その見極めができる人たちの判断に従うことだ。

INPUT 06

「勉強1日目から問題を解け」という教え

前項で、勉強において無駄なインプットを避けるためには、「記憶で解く問題」と「考えて解く問題」を区別する必要があること、そしてそれは勉強をはじめる初期の段階でしなければいけないといった。

具体的にどのような方法でその区別をするかというと、可能なら勉強の1日目もしくは、少なくともごく初期の段階で、その試験の過去に出された問題（過去問）を解いてみるという方法がとても効果的だ。

過去問や模擬試験を受けてみるのは、ある程度勉強を進めて力がついてからというのが一般的な考え方かもしれないが、そんなことは無視してすぐにでも問題を解いてみるべきなのだ。

なぜなら、過去問を解いてみることではじめてその試験で要求される知識や能力のレベルを知ることができるからだ。

もちろん、その段階で過去問を解いてみても、ほとんど正解することはできないだろう。しかし、むしろそのことに意味があるのだ。

問題を解いてみたがわからず、答え合わせをしたときに、「このような知識を記憶することが必要なのか」とか、「ここまで細かい暗記をしなければ太刀打ちできないんだ」「この知識を前提として、このように考える能力が求められているんだな」といったことを学ぶことができる。

ただ単に、過去問を眺めているだけでは、なかなかそういったことを実感できない。

したがって、なるべく本番の試験と同じような状況で問題を解いてみることが重要だ。

そうしてはじめて本試験でどれだけの知識や能力が必要とされるかがわかるのである。

自分が「何を知らないか」「どれだけできないか」をきちんと知る

実際、私が司法試験の勉強をしていたときに通っていた予備校では、勉強の初期の段階で本試験の過去問を解いてみるというカリキュラムがあった。

法律のほんの初歩程度の勉強しかしていない段階で、本試験とまったく同じ問題、同じ試験時間で論文試験の過去問を解かせるのだ。当然、多くの人はまともに答案を書くことなどできず、さんざんな結果に終わっていた。

しかし、勉強をはじめるごく初期の段階で、本試験の緊張感、本試験で求められる知識の内容、記憶のレベル、思考力など、さまざまなことを学ぶことができ、その後の勉強にとても活かすことができた。

そのようなたくさんの学びがある過去問の模擬試験だったが、これを受けたがらない人も多くいた。

あまりにも模擬試験の出来が悪いので、悪い点数を取るのが嫌になって模擬試験を受けること自体を拒否してしまうのだ。

カリキュラムの初期には、やる気に満ちて多くの予備校生が模擬試験を受けていたのに、回数を重ねるほど受ける人が目に見えて減っていくのである。

このように、模擬試験を受けることを拒否する受験生は、模擬試験をなぜ受けるのかということがまったく理解できていなかった。

テストはいい点を取るためのものだ、という固定観念から抜け出せておらず、模擬試験にチャレンジすることを通じて本試験で求められている知識と能力を身につける、という目的をわかっていなかったのである。

ちなみに、だんだんと模擬試験を受ける予備校生が減ってくると、自分と同じように模擬試験を受け続けている人の顔を自然と覚えるようになってくる。1年も過ぎると、お互い話をすることはないものの、ほとんど顔見知りのような状況になる。

そして、司法試験に合格すると、合格者だけの祝賀会が開催されるのだが、その際、周りの合格者の顔を見回すと、その模擬試験を受け続けていた人がかなりの割合でいることに気がつく。

これは、たとえ悪い点数を取り続けていても、勉強の初期の段階から模擬試験を受け続けることが合格のための近道であることを意味している。点数が悪くても、模擬試験を通じて本試験で求められる知識と能力を知ることが、結局は合格に速くたどり着くための一番の方法なのだ。

あなたが何かの資格取得の勉強をはじめる際には、ぜひ初期の段階で本試験の過去問を解いてみてほしい。

そこではじめて試験に求められる知識と能力のレベルを理解することができ、そのためには何をインプットすればいいのかが見えてくるはずだ。

INPUT 07

「理解」レベルから「記憶」レベルまで落とし込む法

資格試験などの勉強を進めていると、わからなかった部分がどんどんわかるようになり、理解が進んでいく。

一人で本を読んでもわからなかったことが、講師の説明などですっきりと理解できるようになると、勉強していてとても楽しくなる。

しかし、理解することについて気をつけてほしいことがある。

それは、理解は勉強を進めていく上では必要であるが、**理解＝記憶ではない**、ということだ。

勉強した内容について「理解」していたとしても、インプットのレベルとしては十分ではない。理解していても、完璧に「記憶」するという、鬼レベルまでインプットを深めなければならない。

そうでないと試験問題を解くことはできない。

このことを意識していないと、理解できた時点でインプットは十分だと勘違いしてしまい、実際の試験やアウトプットの場面で失敗することになる。

実際、私も、司法試験の勉強中にこの失敗をしたことがある。

勉強するまでまったく知識のなかった法律について、理解が進んでいくのはとても楽しいものであった。

いままで読んでもまったく理解できなかった法律学者の書いた法律書を、一人で読んでもその内容が理解できるようになる。ある意味それはとても快感で、すっかり法律知識が身についた気になっていた。

しかし、いざその分野の模擬試験を受けてみると、あれだけ理解できていたはずの法律の内容がうまく思い出せないのだ。なぜなら、試験では、法律の内容が理解できていることを前提にして、それが記憶というレベルまでインプットできているかを問われていたからだ。

私は模擬試験でまったく回答することができなかったという経験から、理解と記憶はイコールではないということを学んだ。

「情報媒体」を変えながら理解を深めるテクニック

もちろん、理解することはとても重要だ。

理解することなく記憶しただけでは、少し違う角度から同じことを聞かれると答えることができず、知識の応用範囲が狭くなってしまう。

また、理解することなしに記憶しようとすると、なかなか頭に定着せず、記憶すること自体に無駄な時間と労力が必要になる。

理解することは記憶の大前提になるのだ。

ちなみに、**理解を深める方法としてもっとも有効なのは、さまざまな媒体から情報を得ることだ。**

たとえば、本を読んでわからない箇所があったとする。そうしたら、別の参考書なり教科書で同じ箇所の説明を確認してみる。

それでもやはりわからなかったら、その箇所を講師が説明している動画を見たり、音声を聞いてみたりする。また、試験の合格者に直接聞いてみるという方法もあるだろう。

とにかく**情報を得る媒体を変えていく**のだ。

理解がなかなか進まないときは――

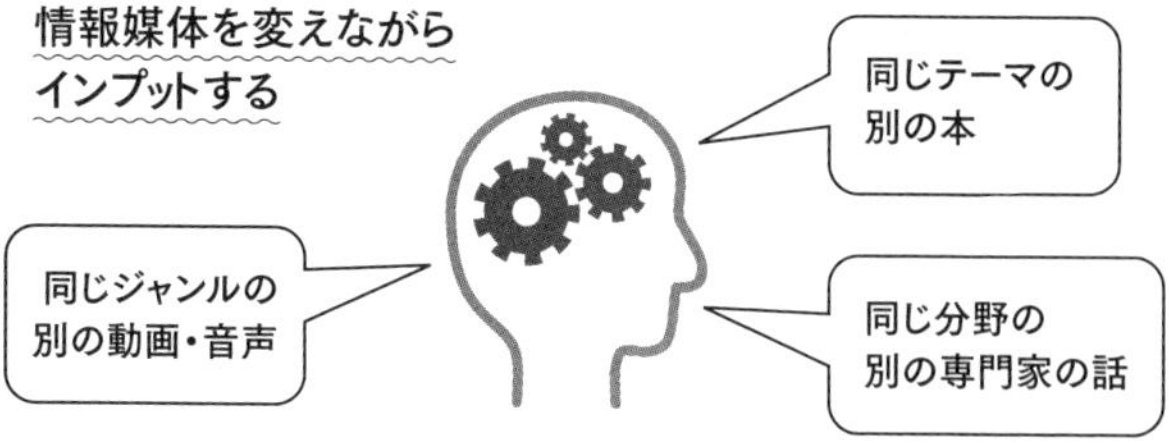

このように、いろいろな媒体から情報を得ていくと、だんだんとわからない箇所の内容が理解できるようになってくる。

媒体ごとに説明の方法が少しずつ違っているのだが、どの媒体でも共通して説明しているコアとなる部分がわかるようになり、だんだんその全体像が見えて理解できるようになるのだ。

暗闇に何か物をおいて、さまざまな角度から懐中電灯でその物を照らすようなもの。一つの懐中電灯だけでは全体像が見えないが、前後左右から光をあてることで、対象物が立体的に浮かび上がり、それがなんであるかがわかるようになるのだ。

勉強をしていてどうしても理解が進まないときの参考にしてほしい。

INPUT 08

勉強がつらくなってきたときの克服法

どのようなジャンルでもそうだが、勉強をはじめた当初というのはいままで知らなかった知識を知ることになるので刺激があり、とても楽しいものだ。

しかし、勉強期間が長くなっていくにつれて、新しい知識に触れることは少なくなり、すでに勉強した内容を再びインプットしていくことが多くなる。

そうなったときにやってしまいがちなことは、**新しい知識のインプットに逃げてしまうこと**。いままで見たことがない参考書や参考文献に手を出してみたり、最新の事例や問題に取り組んでみたりするのだ。

このように、**新しい知識ばかりに目を向けてするインプットは、間違ったインプットにほかならない**。

なぜなら、ほとんどの試験において重要なのは最新の知識のインプットではなく、基本的な項目についてのインプットだからだ。

勉強は基礎が大切、とはよくいわれることだが、そのとおりであって、応用的な知識にあたる最新知識はさほど重要ではないのだ。

新しい知識のインプットばかりをしていると、結局、試験で一番問われることになる基本事項のインプットがおろそかになり、不合格となってしまう。

司法試験のベテラン受験生にも、新しい知識のインプットに逃げてしまい、試験に落ち続けるという人が多くいた。

「つい最近、これまでの判例をくつがえす、新しい判例が出た」「○○大学の、○○教授が、新しい学説を発表していた」などといって、せっせと資料集めに精を出すのだ。

しかし、司法試験の本試験で問われるのは、そのような「最新の知識」ではない。どの教科書にも書かれているようなごく基本的な知識と、それをもとにして自分の頭でどれだけ考えられるかが問われているのだ。

たしかに、新しい知識に触れることは知的好奇心が満たされるため、楽しいだろう。

しかし、それは、試験に合格するための効率のいいインプットではなく、無駄なインプットだ。本当にしなければいけないインプットから逃げているという意味で、現実逃避にほかならない。

勉強の〝その先にあるもの〟をモチベーションにする

同じ知識のインプットは、ある意味、砂をかむような味気ない作業かもしれない。

しかしそれは試験に合格するために求められていることだから、しかたのないことだ。

インプットを繰り返すことがつらくなってきたら、なぜその勉強をしているのか、なぜその試験に合格しようとしているのかをよく考えてみるといい。

きっとその先に将来の夢や、ワクワクすること、どうしてもやってみたいことなどが待っているはずだ。その楽しみを思い出すことで、退屈なインプットをこなしていくモチベーションにするのだ。

私自身、司法試験の勉強中にモチベーションが落ちたときや、毎日繰り返されるインプット作業が苦しくなってきたときは、合格後に法律家としてカッコよく活躍している姿をイメージして乗り切っていた。ある意味これは、適切なインプットと向き合うための「いい現実逃避」だといえる。

ときにこのようなテクニックを活用しながら、勉強を進めていく上では、自分が最新知識のインプットに逃げていないかを常に確認するようにしてほしい。

第3章

そして、最高のアウトプットへどうつなげていくか

INPUT 01

アウトプットが、あなたの人生を輝かせる

これまで私が提案してきた「超」インプット術もいよいよ最終章である。

この最終章では、**「インプットをどのようにアウトプットにつなげるか」**というアウトプットの技術について説明していきたい。

その前に、アウトプットすることの重要性をいま一度認識していただきたい。

本書はインプットに関する本であり、ここまでたくさんのインプット術を紹介してきた。その上であえて断言したいのは、

「インプットそのものには価値がない」

ということだ。

インプットをした上で行なったアウトプットにこそ価値があるのだ。

そして、インプットではなく、アウトプットだけがあなたの人生の目標を達成し、人

生を前に進ませる力がある。

あなたが尊敬する人物のプロフィールを見てみてほしい。その経歴のほとんどが、アウトプットの結果であることがわかると思う。

たとえば、『○○』という本を出版し、10万部のベストセラーとなる、全社内で営業成績ナンバー1となる、独立後会社を立ち上げ年商10億円を達成する、などなど、評価されている実績はすべてアウトプットの結果であることがわかる。

人から評価されるのはすべてアウトプットの結果であり、インプットの結果ではないのだ。

インプットが人から評価を受けることは基本的にない。年間300冊の本を読んだ、1カ月で60本の映画を見た、などといったインプットの成果は、人から軽く「へぇ、すごいね」といわれるようなことはあっても、心から尊敬されるような評価を得ることはないだろう。

「インプット」ではなく「アウトプット」の目標を立てる

目標を立てるときも同じだ。**インプットに関する目標ではなく、アウトプットに関し**

て目標を立てることが重要だ。

たとえば、１カ月20冊の本を読む、という目標。

これはインプットの目標だ。

このような目標を立てる場合には、それだけで終わってはいけない。

そのインプットを前提としたアウトプットの目標を立てた上で、その目標に直結するインプットについての目標を立てる。

たとえば、**半年以内に部署内で新規プロジェクトを立ち上げる。そのために、関連する書籍を1カ月に20冊読む**――こういった目標を立てるのだ。

単に、１カ月で20冊読むという目標では、達成したとしてもインプットが成し遂げられるだけであり、なんら評価につながることもなく、成果にならない。

とくにインプット自体に労力がいるような場合に、このような目標設定をしがちなので注意が必要だ。目標は、アウトプットに関するものでなければ成果とはならないのだ。

私は、弁護士として独立し事務所を構えた当初、仕事があまりなかった。

その代わり時間が多くあったので、弁護士としての腕を磨こうと思い、弁護士会が開催する研修にたくさん出席していた。

それこそ、週に10時間以上研修に参加し勉強する、という目標を立てていた。

アウトプットにこそ本当の価値がある

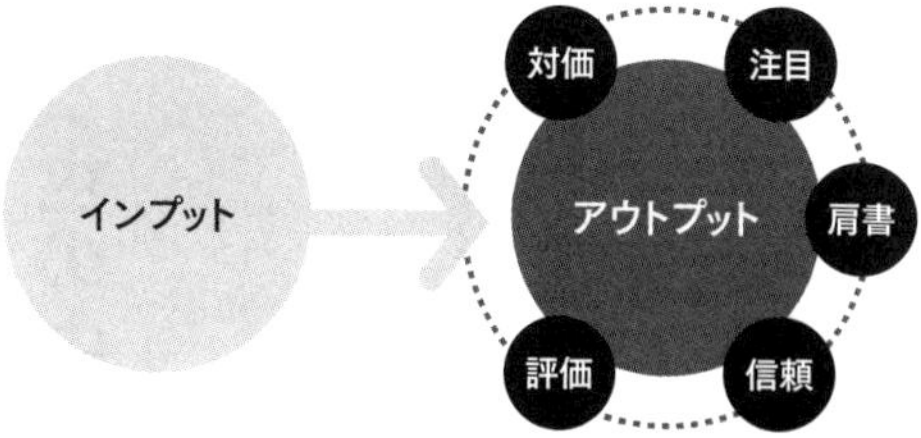

これは、まさにインプットの目標そのもので、達成したとしても成果につながるものではなかった。それよりも、実際に事件を担当し、悩みながらも案件を解決したほうが、依頼者に喜ばれ事務所としても潤うのだ。

そのことに気がついてからは、必要以上に研修に時間を使うのをやめ、とにかく事件の担当件数を増やし事務所の売上をアップさせることを目標にし、そのために必要な限りのことをインプットしていった。そしてそれが結果につながっていった。

インプットではなくアウトプットこそが、人から評価され、あなたの人生を前に進め、輝かせてくれる要因となる。常にそのことを意識しながらインプットしてほしい。

INPUT 02

「完璧な企画書」など世の中にはない

「インプットが不完全だから」といって、アウトプットすることをやめてしまう人がいる。こういう人は、インプットが完成してからアウトプットしようと考えているのだと思うが、これは間違った考えだ。

なぜなら、インプットが完成する日というのは永遠に来ないからだ。**インプットは常に不完全なのだ。**

司法試験の勉強中、「まだこの科目については勉強が不足しているから……」などといって模擬試験を受けようとしない人がいたのはすでに述べたとおりだ。

司法試験の勉強において、一つの科目のインプットが完璧に完成するということはありえない。

その分野の判例は日々積み重ねられていくし、勉強内容を完璧に記憶することはまずできないからだ。

にも関わらず「完璧なインプット」を目指していては、いつまでたっても模擬試験すら受けることができず、本試験に合格することもできない。

こうしたことは、試験のような勉強の分野に限らず、あらゆる分野でいえる。

たとえば、社内で新しい企画書を提案するとき。

一定レベルで企画内容を練り上げることは必要だが、すべての事態を想定して完璧な企画をつくることはできない。

「もしかしたら失敗する要素があるかもしれないから」などといって提案を渋っていては、他社や同僚に出し抜かれてしまうだろう。企画書はあくまでも「案」なのだから、不完全な要素があるのが当然だ。

いつまで〝お勉強〟を続けているつもりか

インプットは常に不完全である。

これは、逆にいうと「インプットが不完全な状態でもアウトプットしてもよい」ことを意味する。

多くの人が、第三者からの視線や批判を気にするあまり、完全なインプットをしてからでないと、アウトプットしてはいけないと思い込んでいる。

よく「日本人は海外で英語をしゃべることができない」といわれているが、その理由の一つがそれである。ネイティブの外国人から、「この日本人は間違った英語をしゃべっている」と思われることが恥ずかしいため、絶対に間違っていないと確信できることしかしゃべることができないのだ。

しかし、英語を母国語としない外国人の多くはそんなことを気にせず、多少間違っていても堂々と英語をしゃべっている。

私は、司法試験合格後、1カ月間インドに行っていたことがあるが、そこで知り合ったインド人の青年は、英語力のない私から見ても文法的に間違った英語を大声で堂々としゃべっていた。

それでも私との意思疎通にまったく支障はなく、青年のいっていることはよく理解できた。

仕事においても同じだ。

アウトプットをするために、完璧なインプットをしなければいけないわけではない。

むしろ完璧なインプットをすることはほとんど不可能といっていいだろう。

弁護士としての仕事においてもそうだ。

弁護士として案件を担当する場合、過去の似たような案件においてどのような判決が下ったのかを調べておくことはとても効果的だ。

なぜなら、相手との話し合いがうまくいかなかったときに、裁判をするのかそれとも裁判をしないで妥協するのか、裁判をしたとしてどのくらい勝訴の見込みがあるのか、などの見通しがつけられるからだ。

しかし、同じような事例についての判例をすべて完璧に調べ尽くすということはできない。全国の裁判所で日々膨大な数の判決が下されているし、似たような事案はあれども完全に同じ事案というものは存在しえないからだ。

だからといって、「裁判になったらどうなるかわからないので、この案件をお受けすることはできません」というわけにはいかない。

したがって、インプットできる情報は限られているとしても、同じような判例や、弁護士としての経験から将来を見通し、案件を処理するというアウトプットをするしかないのだ。


繰り返すが、インプットが完成することは永遠にない。

そもそも、インプットを完成させなければアウトプットができないわけではない。
このことをしっかりと意識した上で、インプットにもアウトプットにも臨んでほしい。

INPUT 03

効果的なアウトプットを実現する「頭の整理術」

インプットした知識や情報は、アウトプットにつなげなければ意味がない。

その方法はいろいろあるが、ここでインプットの内容を簡単かつ効果的にアウトプットにつなげる方法を紹介したいと思う。

それは、

「インプットした内容を整理する」

というものだ。

すでにインプットした知識や情報をわかりやすく並べ替えて整理して示す――それが効果的なアウトプットにつながる。

インプットした知識や情報をそのままアウトプットしたのでは、質の高いアウトプットとはいえない。**インプットした上で、あなた自身がなんらかの付加価値をつけなけれ**

ば質の高いアウトプットにはならないのだ。

付加価値をつける方法は、自分独自の視点で分析する、より根本的な要因を発見するなど、いろいろとあるが、簡単にできるものではない。

そこで、インプットした知識や情報を「整理」するという方法が使える。

情報を整理すると、それだけで付加価値を生むアウトプットのアイデアが出てくる。

情報がたくさんあったとしても、それがバラバラに存在しているだけでは、どこに違いがあるのか、何がポイントなのかということが見えてこない。整理してはじめてその情報から価値あるものが浮き上がってくるのだ。

それに、知識や情報を整理することは難しいことではない。すでに存在している知識や情報を、見る人がわかりやすいように並び替えるだけ。天才的なひらめきや発想など必要ないのだ。

たとえば、「ライバル他社商品の研究」レポートを書くとき

たとえば、会社の上司から、ライバル他社の商品を分析し、それをレポートにまとめろという指示があったとしよう。

情報を「整理」するとアイデアが生まれる

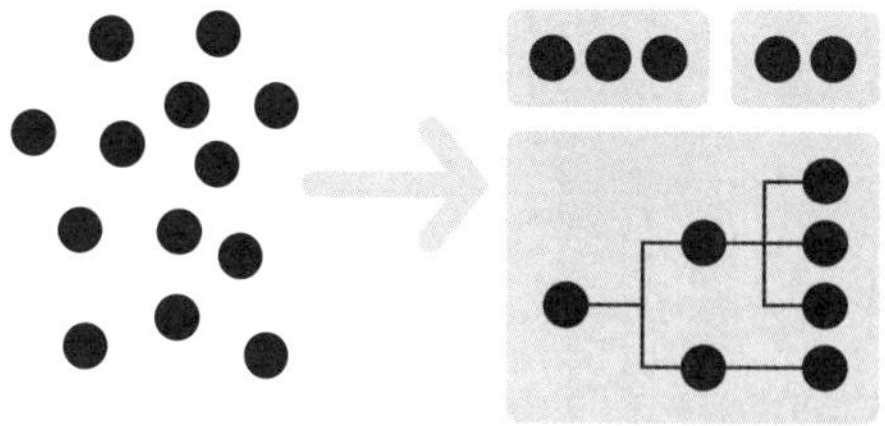

この場合、情報のインプット自体は難しくない。他社商品について公開されている情報を一つひとつ集めればいいだけだ。

これに対し、アウトプットは簡単ではない。他社商品の分析といってもアプローチの方法はいろいろと考えられるからだ。

そんなときに、インプットした情報を整理することでアウトプットにつなげることを試みるのだ。

たとえば、ライバル他社の商品を、「価格」「性能」「顧客層」などの軸で整理し並べてみる。

すると、自社と同じ点、異なっている点などがわかり、他社商品にあって自社商品に足りないものなどが見えてくる。整理した情報とともに、その結果をレポートにまとめれば立派なアウトプットになる。

私自身、日々の弁護士業務においてこれを実践している。

裁判では、「準備書面」という書面を書く必要がある。これは、裁判官に対して、こちら側の主張が正しいことを説得する書面であり、裁判においてはこの準備書面の出来不出来によって勝敗が決まることもある。

弁護士は、裁判でこちらにとって有利になる情報や証拠を拾っていく。これが重要なインプットになる。そしてその自分に有利な情報や証拠を、準備書面という形でアウトプットするのだ。

裁判で明らかになった有利な情報や証拠をそのまま書面にまとめても、裁判官の心証に訴えかけることはできない。有利な情報や証拠を効果的に組み合わせて文章に直し、裁判官が納得するような形に変えなければいけないのである。そのときに、準備書面を作成するアプローチ方法として使うのが、インプットの整理だ。

その情報がなぜ有利といえるのか、たとえば相手の主張とこちらの主張を並べたり、裁判における相手の主張を最初から順番に並べていかに不自然であるかを示したりする。また証拠についても、相手の証拠とこちらの証拠を比較する、証言の内容を対比させて矛盾点をあぶり出す、といった方法を取る。これらはすべて、インプットした情報を「整理」することからはじまっているのだ。

INPUT 04

1日1回、頭を使ったアウトプットをせよ

アウトプットは、自分自身のなんらかの考えを表現したものだ。したがって、インプットより頭を使う。

そのため、面倒に感じてしまったり、億劫に感じてしまったりしがちである。

しかし、インプットではなく、アウトプットこそが人生を前に進める力になるというのはすでに述べたとおりだ。

そこで、**アウトプットを面倒に感じたり億劫に感じたりしないための〝しかけ〟として、なんでもいいから1日1回はアウトプットする、という方法**をおすすめする。

たとえば、ブログやSNSなどで投稿をしたり、日記を書いたり、とにかくどのような媒体でもかまわないので、最低でも1日1回は頭を使って考えたことをアウトプットするのだ。

このようにアウトプットを習慣化することで、アウトプットすることへの心理的なハードルが下がる。毎日していることだから今日もしよう、というふうに、気負うことなくアウトプットができるようになるのだ。

逆に、必要なときだけアウトプットしようと考えていると、アウトプットの頻度が少なくなる。そして、いざアウトプットするときに必要以上に身がまえてしまい、なかなかアウトプットできなくなってしまうのだ。

1日1回アウトプットするのは、車にたとえていうと常にアイドリング状態にしておくのと同じだ。エンジンをかけた状態にしておけば、いざ発進する必要があるというときに、すぐに走り出すことができる。

逆にエンジンを切っていると、鍵を差し込んでエンジンをかけるプロセスが必要になるし、エンジンが温まっていないので、暖機も必要だ。走り出すまでに時間がかかる。

アウトプットもこれと同じで、毎日アウトプットしていれば、いざというときにもすぐに質の高いアウトプットができるようになる。

常にアウトプットしている状態を保つ

毎日アウトプット！

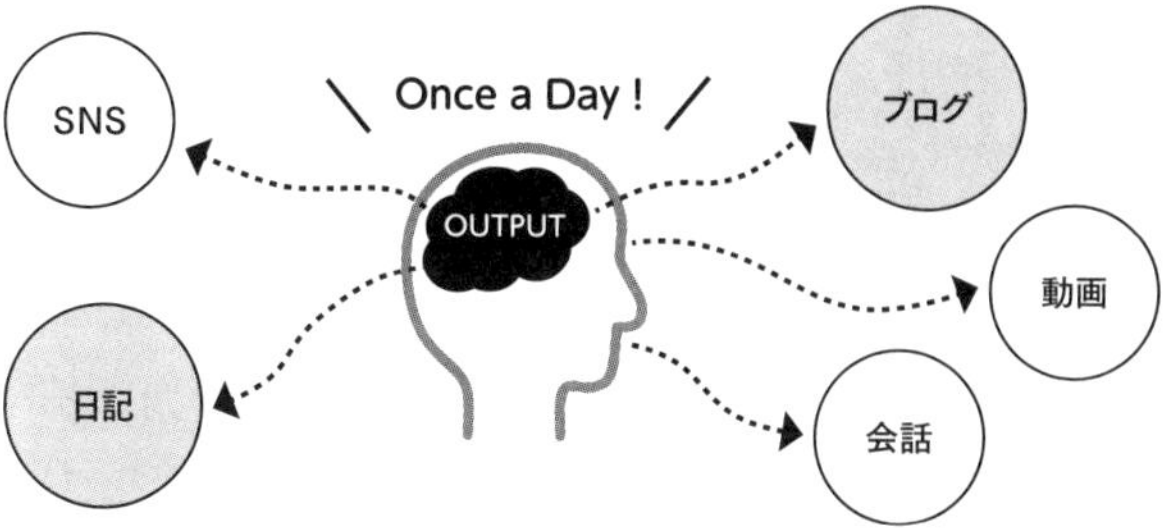

1日1回のアウトプットの重要性は弁護士として私自身も実感している。

裁判をする際、裁判官を説得するための「準備書面」という文章を書く必要があるということはすでに述べた。

この準備書面だが、しばらく書くことがなく期間が空いてしまうと、次に書く際、スムーズに書くことが難しくなる。とくに書き出しの言葉がうまく出てこなくなり、作成にとても時間がかかるのだ。あるとき、このことに気がついてから、毎日少しずつでも準備書面を書くようにした。

そうしたところ、書き出し時の抵抗がなくなり、すぐに軌道に乗って書くことができるようになった。

1日1回のアウトプットは、どんなものでもかまわない。SNSなどの投稿がやりやすいところだが、私がおすすめしたいのは**「日記」**だ。

日記をおすすめするのは、他人の目を気にする必要がないからだ。他人に見られる可能性のあるアウトプットは、どうしても他人の目を気にしてしまうのでハードルが上がってしまう。

1日1回のアウトプットをする目的は、常にアウトプットしている状態を保つことにあるので、できるだけハードルを下げたほうがいい。

ゆえに分量に関しても、なるべく少ないほうがいいだろう。その点、140文字という文字数が決まっているX（旧ツイッター）などは、1日1回のアウトプットに適している。他人の目を気にしないという意味では、匿名のアカウントを使うのもいい。

アウトプットの内容に関しては、自分が好きなものや興味のあることがらが適している。好きなものであれば飽きることなく毎日アウトプットできるからだ。

その際のポイントは、少しでもいいから自分の頭で考えたことをアウトプットするという点だ。

たとえば、どこかに出かけたことを書くのであれば、その事実だけでなく、出かけた先で何を考えたのか、どんな感想を持ったのかをアウトプットするのだ。

こうすることで、自分の考えをアウトプットすることに慣れることができるし、常に自分の頭で物事を考えるという習慣を身につけることができるので、一石二鳥だ。

INPUT 05

何かを「発信」するたびに、新たなネタが集まってくる

前項で「1日1回のアウトプット」をおすすめしたが、「そんなにアウトプットしたらインプットが追いつかないよ……」という人がいるかもしれない。

たとえば、ブログをはじめたいと思っているけれど、記事を書き続けることができるのか、書くネタがなくなってしまうのではないか、というような不安だ。

このことを考えるときに知っておいてほしいことは、

「アウトプットをするからインプットが生まれる」

という事実である。

アウトプットを続けていると、自分が持っているネタのストックが一方的に減り続けていくようなイメージを持ってしまうかもしれないが、これは違う。

実際には、**アウトプットをすると、それと同じか、それ以上に新しいネタが自分のと**

ころに入ってくるというのが正解だ。

SNSを例にすると、日々自分が持っているネタを記事として書いていくと、同じように日常生活を送っていても、「あ、これはブログのネタになる」という出来事がどんどん増えていき、書くネタがどんどん自分にインプットされていくのだ。

「物事は真空状態を嫌う」という法則

これは、すでに紹介した脳の「RAS機能」で脳科学的に説明することができる。RAS機能は、自分にとって重要な知識や情報を脳が自動的に発見してくれるという機能だ。

アウトプットするということは、そのアウトプットした内容が、自分にとって重要な知識や情報であるということを強力に脳に印象づけるアクションだ。ブログで何かネタをアウトプットすると、「そのネタに関する知識や情報は大事だ。だからこれを見つけ出せ」と脳に指示していることになるのだ。

この脳のRAS機能はとても優秀で、24時間無休で自動的に働き続ける。この機能を活かすことは、まさに「超」インプット術を実践するのに欠かせないことなのだ。

この「サイクル」を回せ

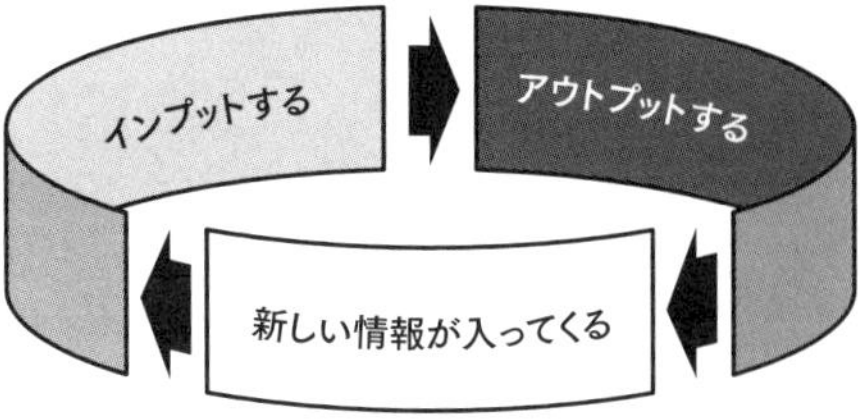

私は、独立して法律事務所を立ち上げた当初、集客などを目的としてブログをはじめた。当初は、そんなに書くネタなんてないよな、と思いながらなんとか記事を書いていた。

しかし、書くべきネタに困ることはなかった。

日常生活でブログのネタになりそうなことをメモしていたのだが、そのメモの量がどんどん増えていき、逆に書き切れないほどたくさんのネタがストックできるようになったのだ。

またそれだけでなく、ブログのネタにするために意識的にインプットすることも増えた。たとえば「この本はブログのネタにできそうだから読んでみよう」と思い、ブログをしていなかったら読まないような本を読んでみたりするのだ。それが、新しい刺激になったり、ビジネスのヒントになったりしたことが多々あった。

これもまさにアウトプットがインプットを生んだ好例といえるだろう。

「物事は真空状態を嫌う」という法則がある。

たとえば、容器から空気を抜いて真空状態にすると、周りの空気がその空間に入り込んでその真空状態を埋めようとする。

これは、あらゆる物事に起こる法則だと私は信じている。

この法則からすると、アウトプットするからインプットが生まれる、というのは当然のことだ。

自分の中から何かを外に出すと、そこに空っぽの空間が生まれる。

その空間に新しい何かがインプットされるのである。

INPUT 06

「知ったかぶり」だって、立派なアウトプットである

どんなに一生懸命インプットしても、自信が持てないままアウトプットしなければばならないことがある。

また、周りから急にアウトプットを求められたりすることもある。

そんなときに覚えておいてほしいことがある。

それは、

「知ったかぶりをしてアウトプットしても、そのことは意外とばれない」

ということだ。

当然だが、他人が人の頭の中をのぞき込むことはできない。

その人がどの程度インプットしているのか、というのは客観的に他人が知ることはできない。アウトプットの内容やそのときの態度などから総合的に、その人が十分なイン

プットをしているのかどうかが判断されるのだ。

声が小さい、体が震えているなど、いかにも自信がなさそうな態度でアウトプットすれば、その人がアウトプットに自信がないということは誰にでもわかる。

逆に、本当はインプットに不安が残る状態でも、自信たっぷりに堂々と振る舞えば、意外と見ている他人は気がつかないものなのだ。

だから、どんどんアウトプットを！

私が弁護士として駆け出しだったころの話だ。所属していた事務所の先輩弁護士と裁判に行くことがあった。そのとき私はまだ見習いのような状態で、裁判を進めていたのはその先輩弁護士であった。

そのときの裁判は証人尋問といって、裁判の勝敗の鍵をにぎる証人に対して、原告、被告の弁護士が質問をするというとても重要な期日であった。

私と先輩弁護士は被告側の代理人となっていた。原告側の弁護士が証人尋問をし、それが終わると裁判官が私たちに対して「反対尋問をしてください」と指示した。

私はとても驚き、動揺してしまった。というのも、その日は原告側の尋問で終わり、被告側の反対尋問は次の期日にすると思っていたからだ。

どうやら私たちの側が勘違いしていたらしく、やはりその場で私たちが反対尋問をしなければならなかったのだ。

反対尋問というのは、事前準備に通常かなりの時間をかける。それまでの裁判の経緯や証拠などを読み込んで、どんな質問をぶつけるかを考える必要があるのだ。

事前準備なしに反対尋問ができるわけがない……と私が絶望的な気分でいると、先輩弁護士は涼しい顔をして「では、質問をしていきます」といって立ち上がり、すらすらと質問をしていったのだ。

その様子はじつに堂々として、尋問の準備をしていなかったとは思えないような落ち着き払った態度であった。結局、最後までスムーズに尋問を進めていき、問題なく尋問を終えた。

その後、先輩弁護士に「尋問の準備をしていたんですか？」と聞くと、「いや、準備はしていなかった」と答える。

私は驚いて、「では、なぜあんなに落ち着いて尋問ができたんですか？」と聞くと、

「準備ができているかどうかなんて他人からはわかりっこない。はったりだ。自信があるふりをしていれば、みんな勘違いしてくれるもんなんだよ」

と答えたのだ。

これは、まさに知ったかぶりは意外とばれない、という真実を示す例だ。

もちろん、事前に十分なインプットをすることが一番大切ではあるが、どうしてもそれが不十分なままアウトプットしなければいけないこともある。

そんなときは、知ったかぶりは意外とばれない、ということを思い出し、堂々とアウトプットするようにしてみてほしい。

ただし、この方法は、あくまでも緊急時の対処方法にすぎない。

その場を乗り切ることができても、次に同じことが起きた場合にはばれてしまう危険性が高まる。

そのためには**危機を乗り切ったあと、すぐに必要な情報や知識の徹底したインプットをして、補強しておくことが必要**だろう。

INPUT 07

「スモール・スタート」で行動力を高める

これまでアウトプットの重要性を説いてきたが、頭ではその大切さがわかっていてもいざ行動に移すのは簡単なことではない。

アウトプットは、インプットよりもはるかに頭を使う能動的な行為のため、面倒に感じてしまうのはある意味当然だ。

そこで、私自身も実践しているアウトプットをスムーズに進めるためのコツを教えたいと思う。

それは、どんなに小さくてもかまわないので、とにかく、

「アウトプットのはじめの一歩を踏み出す」

というものだ。

たとえば、前に述べた「日記」を書くというアウトプットをする場合、日記帳のペー

ジを開いて日付だけを書く。

そのときには本文を書こうとしなくてもかまわない。とにかく日付だけを書こうと決めて行動するのである。

このように、**どんなに些細なことでもかまわないので、アウトプットとなる行動を一歩踏み出すと、自然とスムーズに次の行動ができるようになる。**

日付だけを書こうと考えてペンを手に取り日付を書くと、いつのまにか本文も書けてしまうのである。

なぜこのようなことが起こるかというと、**人は0を1にする行動には大きなエネルギーを必要とする一方、1から2にする行動にはそれほど大きなエネルギーを必要としないという習性があるから**だ。

自転車にたとえるとわかりやすいと思う。自転車は、止まった状態から走り出す際にはペダルを強く踏み込む必要があるが、一度走り出してしまうと加速するのにそこまでペダルを強く踏み込む必要はない。

アウトプットの行動もこれと同じなのだ。

0の状態から、アウトプットをはじめようとする際、とても大きなエネルギーが必要となる。そこで、アウトプットのはじめの一歩のハードルを限りなく低くすることで、

0から1をまず達成させてしまうのである。

「行動↓やる気↓行動……」のループをつくる

このように、最初の一歩を踏み出せば、それ以降はスムーズに進む。

この現象は多くの人が経験していると思う。たとえば、どうしてもやりたくない仕事や勉強があり、なかなか手をつけられなかったものの、はじめてみたらあっという間に終わってしまった、なんてことがよくある。

こういった人の習性は、脳科学的にも説明がつく。脳科学では、感情が行動を生み出すだけでなく、行動が感情を生み出すことがわかっている。

たとえば、人が笑うとき、普通に考えれば「楽しいから笑う」と考える。

しかし、脳科学の実験結果によれば、笑うという行動を取ることで、楽しいという感情になることがわかっている。すなわち「笑うから楽しい」のである。

これと同じように、**行動を起こすことで、それが感情に働きかけ、「やる気」という感情を生み出す**のだ。

このような現象も多くの人が経験しているだろう。

たとえば、部屋の掃除が億劫だと思っていた――。

しかし、はじめるとスイッチが入り家中を掃除してしまった、というようなことだ。

このように、行動はやる気を生み、それがさらに行動を生む――という行動とやる気のループがはじまるのだ。

だからこそ、はじめの一歩が大切だ。

そして、**はじめの一歩を踏み出しやすくする一番の方法は、その一歩の行動の内容を限りなく小さいもの、簡単なものにすること**なのだ。

私も、とにかく一歩を踏み出す、というこのテクニックをよく使っている。

たとえば、この本を執筆しているときもそうだ。書かなければと思っても、どうも気分が乗らないときもある。

だから、とりあえずワープロソフトを立ち上げ、見出しだけでも入力する。

すると、そこから1ページだけ書いてみよう、あるいは1項目だけ書いてみようという気になって進められることがある。

すると乗ってきて、10ページ、20ページと書き進められることがある。

また、私は定期的にジムに通って体を鍛えているのだが、どうしても疲れて行きたくないこともある。

「はじめの一歩」を小さくする

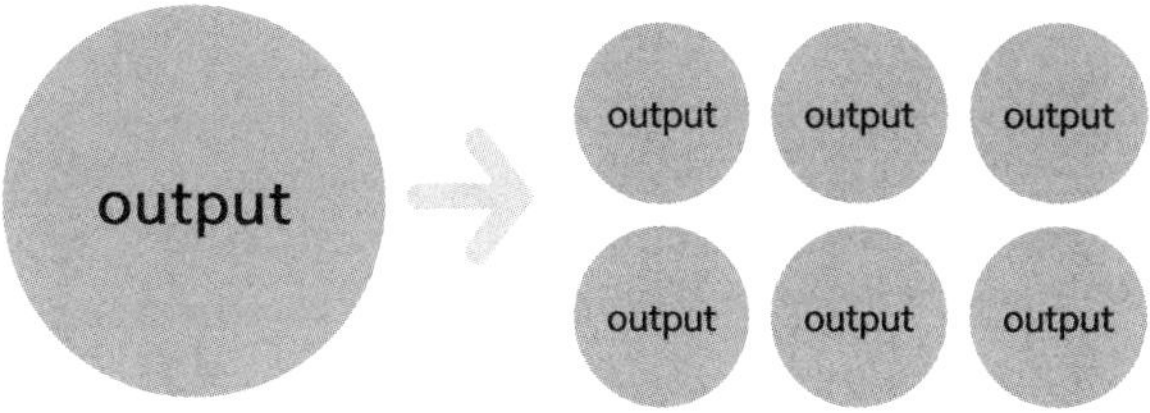

そんなときは、とりあえず1回だけでもダンベルを上げてみよう、それでもやる気にならなかったら帰ろう、と決めてジムに行く。

そして実際にダンベルを1回上げてみると、そこから乗ってきて、みっちりとトレーニングすることができるのだ。

このように、**「スモール・スタート」テクニックはとても強力で、アウトプットだけではなく人生のあらゆる場面で使うことができる。**これを知っていると知らないとでは人生における行動力に大きな差がつく。

INPUT 08

小さな成功体験を得るための「本の使い方」

仕事や人生で成功するために重要なのは、インプットとアウトプットを繰り返すことだ。どちらが欠けても結果を出すことはできない。

ということは、

「インプット→アウトプットの量を増やせば増やすほど、成功のチャンスも増えていく」

ということになる。

では、どうすれば「インプット→アウトプット」を増やすことができるのか？

その一番の方法は、「インプット→アウトプット」による成功を体験することだ。

「役に立つ知識と情報をインプットした→それを活かして行動した→その結果いいことが起きた」

この経験があれば、また同じ体験をしたいために、自然と「インプット↓アウトプット」を繰り返すようになる。

モチベーションを上げる方法というのはいろいろあるが、行動することのメリットが明確になっていれば、細かなテクニックなど用いなくても人は行動するものだ。

アウトプット（行動）をスムーズにできない人は、その行動によってどれだけ自分にメリットがあるのかがわかっていないだけなのだ。

誰かの成功体験を見聞きし、アウトプット（行動）することのメリットを知ることで自分も同じようにできるという人もいなくはない。

しかし、私を含めて多くの人は、他人の成功談を知るだけでは、自分の行動につなげていくことはできない。

やはり、自分自身が体験する以上の行動力アップの方法はない。行動することのメリットを心の底から理解してはじめて実際に行動できるようになるのだ。

「インプット↓アウトプット」の量を飛躍させる一番の方法

私自身が、「インプット↓アウトプット」をどんどん実践できるようになったのも、自身の成功体験があったからだ。

弁護士として独立開業した当初、仕事がほとんどなく、いつ事務所が潰れるか不安で不安でしかたがなかった。

そんなとき、タウンページに効果的な広告を出す方法について書かれた本を手に取った。ダメ元でその本に書かれた内容を実践し、タウンページに広告を出したのだ。

すると、問い合わせや依頼が次々と来るようになり、一気に事務所が軌道に乗ったのだ（このときの経緯などについては拙著『1年後に夢をかなえる読書術』に詳しく書いている）。

この、本からの「インプット→アウトプット」の成功体験があってから、私はビジネス書を中心に本をたくさん読み、たくさんの実践をするようになった。

毎日3軒も4軒も書店めぐりをして、「何か自分に役に立つ本はないか」と探し回った。書店に並んでいる本が自分を成功へ導いてくれるチケットのように思え、読書量と「インプット→アウトプット」の量が飛躍的に増えたのだ。

このように、成功体験を得ることは、「インプット→アウトプット」の量を飛躍させる一番の方法だ。そしてそのためには、最初の成功体験を得なければならない。

その成功体験を得るための手順を紹介しよう。

①いま自分が悩んでいることを一つ思い浮かべる。

②なるべく大きめの書店に行き、その悩みを解決してくれる本を探し出し、購入する

③その本を読み、したいこと、できること、すべきことを抽出する

④スモール・スタートでいいのでそれらを実践していく

実践することは、ハードルの低いものがいいだろう。

すぐに行動できて、すぐに結果が出るものがベストだ。

小さな成功体験を積み重ねながら、大きな成功を目指していけばいいのだ。

（了）

本書は、小社より刊行した『仕事ができる人の鬼インプット』を、文庫収録にあたり、再編集のうえ、改題したものです。

間川 清（まがわ・きよし）
1978年、埼玉県生まれ。中央大学法学部卒業。25歳で司法試験合格。現在は自らが代表として法律事務所を経営。損害賠償事件、相続事件、家事事件、刑事事件など、年間200件以上の弁護士業務を担当した経験をもつ。また、著作活動や講演・セミナー活動、メディア出演なども積極的に行なっている。
主な著作に『1年後に夢をかなえる読書術』『裁判官・非常識な判決48選』『気づかれずに相手を操る交渉の寝技』などがある。

知的生きかた文庫

できる人《ひと》だけが知《し》っている「超《ちょう》」インプット術《じゅつ》

著者　間川《まがわ》 清《きよし》
発行者　押鐘太陽
発行所　株式会社三笠書房
〒一〇二-〇〇七二　東京都千代田区飯田橋三-三-一
電話〇三-五二二六-五七三四〈営業部〉
　　〇三-五二二六-五七三一〈編集部〉
https://www.mikasashobo.co.jp
印刷　誠宏印刷
製本　若林製本工場

ISBN978-4-8379-8847-2 C0130